CONFESSIONS OF AN AMERICAN NERD

成长 1+1

（美）王可 王伯庆 著 郭玉洁 译

電子工業出版社
PUBLISHING HOUSE OF ELECTRONICS INDUSTRY
北京·BEIJING

图书在版编目（CIP）数据

　成长 1 + 1／（美）王可，（美）王伯庆著；郭玉洁译 . – 北京：电
子工业出版社，2003.7
　（教育体验系列）
　ISBN 7 – 5053 – 8846 – 0

　Ⅰ. 成 ...　　Ⅱ. ①王 ... ②王 ... ③郭 ...　　Ⅲ. 家庭教育 –
经验　Ⅳ. G78

　中国版本图书馆 CIP 数据核字（2003）第 049844 号

责任编辑：刘露明　　　　特约编辑：罗琳　傅眉
印　　　刷：北京印刷一厂
出版发行：电子工业出版社　http：//www. phei. com. cn
　　　　　北京市海淀区万寿路 173 信箱　邮编 100036
经　　　销：各地新华书店
开　　　本：787×980　1/16　印张：16. 25　字数：181 千字
版　　　次：2003 年 7 月第 1 版　　2003 年 9 月第 3 次印刷
定　　　价：20. 00 元

　凡购买电子工业出版社的图书，如有缺损问题，请向购买书店调
换。若书店售缺，请与本社发行部联系。联系电话：(010)68279077

序　言

21 世纪的父母，你们准备好了吗？

伯庆对他的女儿一直很低调。和他交往这么久，很少听他提及女儿的情况。2002 冬天，我跟伯庆在中国相遇，闲谈中才知道他的女儿王可被哈佛录取了，在座的朋友们吃一惊。我本人在中国接受的大学教育，在美国接受的博士教育，现在英国任教，有机会亲身体验到中、美、欧洲的教育文化。作为一个教育工作者，如何培养人才是我最感兴趣的话题之一。于是我就开始追问伯庆的教女体会。过了不久，伯庆给我寄来了一个电子书稿，也就是现在这本书——《成长 1＋1》。

这是一本纪实文学，记录的是 21 世纪最初两年，一个居住在美国的华人孩子的中学故事，但它涉及的教育问题意义深远。仔细阅读华裔孩子王可的成长经历，我们可以看到什么是新世纪对中国教育文化的机会和挑战。

对我来讲，这本书让我思考了两个问题，其一，什么是21 世纪的人才；其二，作为父母，如何把自己的子女培养成这样的人才。我认为 21 世纪的人才至少应该具备哈佛大学录取本科新生的三项要求：学习成绩、课外活动与性格修养。

21 世纪的人才应该是有志向、有信心及良好的自律能力。他们自信又谦逊，善于沟通又不随大流，具备独立的个

性及自尊，有独立思维的能力，有爱心，具备社会责任感和良知。他们关心时事，具有国际化的眼光。也就是说，21 世纪的人才必须具备良好的综合素质。

从传统的角度来看，伯庆似乎并不是一个好父亲。他从不强迫孩子学习，因为"学习是她自己的事"。他甚至"从不过问孩子的家庭作业，只读一读她的学校报告"。这种为父之道，恐怕在很多中国家长看来似乎有些放任自流，但我认为，伯庆教会王可的是成为一个 21 世纪人才所需要的核心素质。

首先，伯庆教育她刻苦勤奋、竭尽全力去做一件事的重要性。他让孩子认识到"只要全力以赴，没有做不成的事"，有志者事竟成。他同时培养她的自我管理能力。书中说"有条理、有自律力、有动力地安排自己的学习，人生会大不一样"。

同时，伯庆教育她要自立自强，学会自己处理难题，培养她坚强的性格与独立思考的能力。让她"学会接受失败，承受失败"。伯庆要求女儿为自己选美去募捐，有意对她进行性格训练，让她"学到了谦卑，与人交往，学到了忍耐与坚定"。

另外，伯庆教给她处理压力的方法与态度，在工作与兴趣之间找到一个合理的平衡，把握好做事的度，学会放松。他还教她一种对待生活的态度。要她在努力中学会放松，尽享生命之美。他要求女儿"有良知，关心弱势群体和社会公益"，"坚持真理，不随大流"。

孩子如何形成一个完整、健康与良好的人格，才是父母应该教会子女的东西，也是孩子成长过程中最重要的一课。伯庆能够使自己的女儿具备这些素质，完全取决于他吸收了中美的教育理念和方法。从教育理念上，伯庆不是一个典型的中国父母,用王可的话讲,她的父母没有"成天要把孩子送到麻省理工或斯坦福,他们不强迫我走华人天才少年的路,他们只想让我在学校好好学习"。他们只希望孩子尽力,并不给她额外的压力。

他首先是女儿的一个朋友、帮手、参谋、教练,而非一个老板似的家长。他和女儿一起锻炼,一起聊天,做朋友,帮助她分担苦恼并解决问题。他管理孩子的方法平等而民主,对孩子充满信任与鼓励。大多数时候,他充当的只是一个帮手的角色,给予她关爱及不遗余力的鼓励。对于伯庆来讲,教育子女是一件人生乐事。

从教育方法上,伯庆利用了中国与美国教育文化的长处。美国教育文化的优点是充分鼓励个人创造力,培养独立的个性与自尊,利用各种课外活动培养学生的综合能力,注重全面发展,形成完整的性格。中国的教育体制鼓励自律与刻苦,训练严格。伯庆吸收了两种教育文化的优势来教育孩子。人才不分国界,教育亦然。他山之石可以攻玉。如何吸取中西教育理念与方法的长处去培养21世纪合格的人才,这是一个值得探讨的课题。王可的故事为此提供了一个有趣的案例。

作为伯庆这种教育理念与方法的成果是:王可成为一个自信自强、真诚正直、可爱善良的孩子。她不仅学业优异,而且性格健全;她关心他人疾苦,充满爱心及对社会的责任感;她处事冷静与从容,同时还具有一种强烈的使命感。她虽然在美国长大,却了解与挚爱中国文化,这一点难能可贵。

王可的文笔流畅感人、活泼可爱、幽默机智,我连读两遍,不忍释卷。王可具有同龄人鲜见的成熟与睿智,她对问题往往有独到的看法,书中常有隽语涌现。小王可写给她父母的那封信深深打动了我。那封信真情流露、切中要害,作为

一个孩子，她竟深知为父母之道。这封信可以视为新世纪子女对父母的宣言，建议每个父母都应该认真读一下、想一下。

中国父母对教育的重视是中国文化的精华部分。孟母择邻而居，三易其地。每个中国父母都对孩子殚精竭虑，呕心沥血。中国父母为了孩子的教育往往可以做出重大牺牲。但是，将自己的孩子培养成材的关键是充分接受合理的教育理念与方法。从王可的故事可以看出，父母之道在于平等，尊重、鼓励孩子，帮助他们，和孩子成为朋友，理解孩子的情感，倾听孩子的声音，绝不放弃对孩子的信任和信心，不断开发孩子的潜能。对他们要充满关爱，让他们愉快地生活、热爱生活，同时调动他们学习的兴趣与积极性。要把他们培养成一个完整的人，关注他们多方面的发展，尤其是人格的发展，教给孩子社会责任感和爱心。我始终认为，人格的健康与完整是教育的核心。孩子能否长成一个身心正常、具有良好品质的人比学习成绩更重要。

孩子的成功始于父母。做父母不是一件自然而然、无师自通的事，教育孩子先从教育自己开始，不合格的父母永远无法教育出合格的孩子。所以，要想培养出21世纪的人才，先要学会做一个21世纪的父母。我想在此用王可的一句话呼唤中国的父母，"孩童时代只有一次，我们期待和父母共同经历这一美好时光。做父母不困难，难的是抓住机会成为伟大的父母。你准备好努力去做了吗？"

尹一丁

2003 年 6 月于剑桥大学

尹一丁，祖籍东北，毕业于吉林工业大学，后赴美国留学，获南加州大学工商管理学博士。现任英国剑桥大学嘉治商学院管理策略及市场管理系教授。

目录

Contents

第 1 章　申请大学之旅——我闯入了什么世界 / 1

　　老爸评论：可怜天下父母心 / 8

第 2 章　第一战——PSAT 大怪物 / 15

　　老爸评论：滑铁卢之战 / 22

第 3 章　爸爸的进攻计划 / 27

　　老爸评论：拯救大兵 / 34

第 4 章　学校生活 / 39

　　老爸评论：恰同学少年 / 46

第 5 章　同时修四门 AP——我疯了吗？/ 51

　　老爸评论：努力是一种选择 / 58

第 6 章　我怎样对付毕业班的压力 / 63

　　老爸评论：给孩子叫暂停 / 70

第 7 章　苦尽甘来——学校也很有意思 / 75

　　老爸评论：这个高中不重学业 / 82

第 8 章　女生之邦——学习爱国和制度的夏令营 / 87

　　老爸评论：女人治国 / 97

第 9 章　全国青年领导论坛——现实与理想 / 101

　　老爸评论：我的未来不是梦 / 114

成长1+1
Confessions of an American Nerd

第 10 章　中国之夏（上）／ 119

　　　　　中国之夏（下）／ 125

　　　　　老爸评论：黄色的脸／ 131

第 11 章　选美少女——我？——开什么玩笑／ 135

　　　　　老爸评论：是你——选的就是你／ 145

第 12 章　我敢申请常春藤盟校吗？／ 151

　　　　　老爸评论：为什么不——你敢／ 158

第 13 章　写一篇打动招生老爷的短文／ 163

　　　　　老爸评论：包装自己，走向社会／ 174

第 14 章　人性的证明——推荐信和面试／ 179

　　　　　老爸评论：第三只眼看你／ 188

第 15 章　汗水浇出了果实——欢迎你到哈佛／ 193

　　　　　老爸评论：花落谁家／ 201

第 16 章　朋友们的大学计划／ 205

　　　　　老爸评论：芝麻开门——助学金之战／ 212

第 17 章　轻松的一面才更精彩／ 217

　　　　　老爸评论：学会在努力中放松／ 227

第 18 章　我的心飞向了大学／ 231

　　　　　老爸评论：我后悔只有一次机会／ 245

第1章

申请大学之旅
——我闯入了什么世界

成长1+1
Confessions of an American Nerd

大学，当我很小的时候，那可真是一个唬人的大家伙。不是因为它很时髦，而是因为它代表着一个奇妙的世界：满是智慧的书虫们在讨论柏拉图、马克思和那些已经故去的德国哲学家。所以初中的时候，我没有多想这些，照旧做那些十多岁的孩子做的事情。甚至在高中一年级，我也只是把大学搋在心的犄角旮旯里。高中新生就惦记上大学可太不酷了。

当然了，我按时做家庭作业，考试门门得 A，但是我从不认真地筹划要进入一所顶尖大学。当我听到有人说，只要如此这般就能进入哈佛大学，就忍不住笑话他们。但是暗地里，我也会觉得心里酸酸的。我想进常春藤盟校（Ivy League School）①，我想成为学校的骄傲。

但是应该怎样开始准备？我一无所知，也不想开始。因为我相信高中就应该是及时行乐，怎么开心怎么来。

事实上，我没有像自己想像的那样，享受那些"欢乐时光"，那种欢乐不是我所期望的。高中生还没有成熟，总有一些人整天拉风扮酷，模仿时尚的生活方式。学校里有太多的PDA（public displays of affection，男生女生故意在公众场合卿卿我我）和青春期恋情。随波逐流了一小段时间以后，我明白自己不喜欢这种生活方式，于是回过头来把生活的重心放在课堂和朋友身上。我的父母也许在暗自庆幸我没有传统的少年反叛期。

我的父母和周围的一些华裔父母不同，他们没有成天想着要把女儿送到 MIT(麻省理工学院)或者斯坦福。他们只想让我在学校好好学习，但是不强迫我走华人少年天才的路。

---

① 常春藤盟校（Ivy League School），是一组以学术成就及社会地位著称的名牌大学，包括哈佛大学、哥伦比亚大学、耶鲁大学、普林斯顿大学、康奈尔大学、布朗大学、达特茅斯大学、宾夕法尼亚大学等 8 所大学。

像我的朋友哈尔·陈，13 岁就上了华盛顿大学，15 岁毕业后去了微软；艾米·李，15 岁完成高中所有课程，是全国顶尖的少年小提琴手、总统学者奖（Presidential Scholar）①得主，16 岁去了 MIT。

我的妈妈希望我待人友善，帮助他人，这是最重要的。我的父母鼓励我为社区义务服务，突破我的小小天地。为此，我非常感谢他们。

我的一些华裔朋友在父母的强迫下，变成了他们不愿意成为的人。于是，她们心不甘情不愿地做着家庭作业，很少做义务工作，不愿意结交新朋友。对他们的父母来说，这也是适得其反。因为这些孩子总是会有逆反心理，暗地里磨洋工，失去理想，性格也变得很冷漠，根本不能实现父母替他们设计的远大理想。

而且，说实在的，这些梦是什么？希望自己的宝贝孩子成为人所皆知、妙手回春的医生？纵横四海、舌战群儒的律师？或者干脆成为下一个爱因斯坦？归根结底，他们希望自己的孩子能出人头地，能够脱离父母辛苦挣扎了一辈子的工薪阶层。

但是他们忘记了自己的孩子是一种特殊生物，有着独一无二的属性。每个孩子在这个世界上都有着特殊的使命，不仅仅是解算复杂的二次积分，或者是从试验白鼠的身上提取基因。

我的父母告诉我，每个人都是独特的，他的成功有自己

———————————
① 总统学者奖（Presidential Scholar），是美国教育部颁发的政府奖，创始于 1964 年，由时任总统约翰逊发起，奖励高中学生在学术、艺术、领导能力、社区服务上取得的突出成就，全美每年约 300 万高中毕业生中，最多只有 141 人可以获奖，是高中毕业生能获得的最高荣誉，每年由全美各州及海外一些地区各选出一男一女优秀应届毕业生，还有特殊艺术领域的杰出人才。

的方式。只要我尽力去做，他们就满意了。同样，无论我选择哪所学校，他们都会支持。

我那时已经觉察出了自己和很多美国同学的距离。他们只知今朝、不顾未来，从一个 party 到另一个 party，无穷无尽的 party、电影、舞会。我认为生活的内容远远不止这些，一旦我稍微努力一点，就可以做得很出色了。请注意了，这可不是父母灌输给我的想法，是我自己悟出来的。

是的，我错过了很多 party 和电影，虽然有时候我会心猿意马，但最后还是坚持住了。我安慰自己说，我跳舞就像个火鸡，再努力也不可能成为万人迷，且不说我的眼睛近视。我很受同学的尊重，但同时也被贴上了书呆子的标签。我喜欢这个标签，因为我坚信：今天的书呆子，就是明天的老板。

每当我觉得被排挤在同学圈子以外的时候，我就想像着一个小书呆子 Kate 最后成为一个威风八面的老板，让那些拉拉队员和校队球星瑟瑟发抖，俯首称臣。这个想像总能让我高兴起来。

当然了，我还参加学校的各种课外活动（我可不是与世隔绝、清心寡欲的隐士）。

我开始觉得自己和同学们格格不入，好像不是一个圈子里面的人，我讨厌这样的处境。我渴望呼吸截然不同的空气，渴望不同的环境，我想结识不同的人们，那就是大学。

但是怎样才能进入好大学呢？在几次华人聚会中（我去那儿只是为了吃美味的中国菜），我遇到了两个女孩，她们的学业成绩好得要命，最后都进了斯坦福大学。我在他们父母的眼里看到了骄傲，她们的成功使我的成绩看上去是那么微不足道，我好羡慕啊。虽然我不一定能考上斯坦福，但我也想攀上巅峰，把我的旗子插上去，让那些华裔妇女们到处

传说我的名字。爱拼才会赢，对吧？

　　我必须走出第一步。进入大学前还有两年多的时间，我得好好计划一下。高二结束的时候，我迫不及待地回过头检查成效如何。高一和高二选修的课看上去很美，都是荣誉班（Honor Class）①和学术性强的课，没有选"陶器制作入门"之类好混的课，这种混混课程会无形中减少进入好大学的机会，那里可是竞争激烈啊。高二我选修了第一年的微积分、生物、化学。（学生顾问②认为我得了失心疯，讲了一些神经崩溃的故事吓唬我。还好，到目前为止我还挺正常。）

　　现在，我仔细计划了高三要选修的六门困难的课程，包括四门 AP 课程③、学术指导课、法语三级。这次我可不敢告诉学生顾问了，上学年我已经见识了她瞳孔放大的样子，她的声音就像母鸡下蛋时"咯，咯，咯"的叫声。我也没有告诉我的朋友们，怕她们会劝我放弃。我的父母只是问我能不能承受这些，然后就不遗余力地鼓励我。我对自己说，我当然可以对付这些。我够聪明，做事有条理，没问题。

　　要进入好大学，这些还不够，我需要更多的课外才能。就在高二结束后的暑假，我去了附近的华盛顿大学的医学实验室做研究助理。晚上住在爸爸的朋友家，周末回自己的家。这是我第一次闯进专业水平的科学研究世界。我看到了高中生物课本里从没有提到过的技术，看到了像外星人那么

---

① 荣誉班(Honor Class)是同一门课的优秀班，教学的内容和要求比较难，比较喜欢挑战的学生选修荣誉班。

② 学生顾问是给学生的课业和申请大学提供咨询服务的老师。选修的课要经过顾问签字才能注册。申请大学的材料必须由顾问阅读后送出。

③ AP 是"Advanced Placement"的缩写，AP Course 即为"先修课"，是美国高中提供的大学水平的课程，用大学课本，算高中学分。如果高中学生参加大学董事会组织的全国 AP 统考，得分在 3 分以上（评分标准为 1~5 分），将来可以转成大学学分，得分 4 分以上，将来在常春藤盟校也可以转成学分。

奇怪的机器，真好玩。

我学会了实验的基本程序，还亲手处理艾滋病毒血样本，好奇心压过了害怕的感觉。我觉得非常荣幸，因为这是一个大多数人都不能企及的世界。我也发现自己不喜欢做研究——工作中缺乏人际交往，太多的重复工作，无穷的等待和细节。我想和人打交道，而不是和机器、血样在一起。虽然这不是我理想中的职业，但是这次经历带来的收获，对我下一个学年的 AP 生物课很有帮助。

在实验室里，我还遇到两个极其聪明的亚裔女孩，她们是国家健康研究院（National Institutes of Health，NIH）[1]挑选和资助的。两个人都有 SAT [2]高分，无穷的学习活动，丰富多彩的课外才能，很高的课程累计分 GPA [3]，富有的家庭，常春藤名校的父母。最眩目的是，她们有骄人的上流社会生活！在我看来，她们是那么完美无瑕，正是哈佛和斯坦福最理想的学生。她们年级大一些，老练、成熟，对我视若无睹。我也不介意，因为我觉得跟在她们后面，就像个小蚂蚁一样不值一提。

在我的高中里，我是最好的学生，但是认识这些女孩以后我才明白，自己不过只是窝在一堆珠宝中的一块灰扑扑的石头。我终于弄清楚了申请顶尖大学的时候会面对什么样的对

---

① 国家健康研究院（National Institutes of Health，NIH），是联邦政府的医学研究和资助医学研究的机构。

② SAT，全称为"Scholastic Aptitude Test"，中文译为"学术能力考试"，是美国大学董事会组织的全国性考试，分语言和数学两部分，每部分 800 分，共 1 600分。由大学董事会（College Board）出题、判分、寄送成绩。其成绩是美国大学录取新生时考察学习水平的客观标准之一，也是获得奖学金的重要条件。

③ GPA，全称为"Grade Point Average"，每门功课按得分 A、B、C、D 有对应的点数积分，从 1 分到 4 分，譬如 A 是 4 分，A－是 3.75 分。GPA 就是平均累积分。如果有一门功课没有得 A，毕业时你的 GPA 就低于 4.0 分。F 代表不及格。

手，尾巴翘不上去了。我知趣地谦卑下来，也有一点恐惧。

那个夏天，我在履历表上又添一笔：帮爸爸写剧本。我可怜的老爸在美国住了十几年，英语写作还是非常教条，根本不知道高中学生之间的"黑话"，所以他要我帮他完成一个电视剧剧本中英语对话部分——这个电视剧取材于我的故事。看到他写成的初稿，我几乎把肚子笑破了，现在没有高中生会说"Hello，how are you today?"应该是"Hey，how ya doin?" 或者"Yo，what's up?"

剧本中的中美教育对比，让我进一步明白自己能够接受美国式的教育该有多幸运。这种教育激发了我的创造力，形成了我的个性和自尊，塑造了我的大脑和性格。中国式教育有自己的优点，严格的学校教育教出了极其聪明的孩子，但是孩子往往更需要创造力，通常这比掌握知识更为重要。我不想成为一个只会喷射事实和公式的机器，我想成为一个丰富而智慧的个体。

新学年开始了。正当我觉得一切都上了道、情况还不错的时候，两个打击接踵而来。第一，我看到一本关于怎样打进顶尖大学的书，被上面要求的种种"必须"吓坏了。我没告诉我的父母，但是我都快哭了，因为我相信自己永远都不会像书上说的那样好。虽然我也修 AP 课程，GPA4.0，社区义工，但我没有展现领导能力，运动天才，全国性奖励。正当我急得慌手慌脚的时候，另一件事雪上加霜：我完全忘了马上要考 PSAT(Preliminary SAT)。PSAT 是 SAT 的预考，是通向著名的"国家奖学金"（National Merit Scholarship)①的大门。

我通往大学的第一场战役就这样突然间打响了。

---

① "国家奖学金"（National Merit Scholarship）是从 SAT 考分中选 1% 的顶尖学　生，再考虑学生学习成绩最后确定的。由大学董事会组织评比，奖学金的金额　不大，主要是一种荣誉，有利于申请好大学。最后中选者约 8 000 名左右。

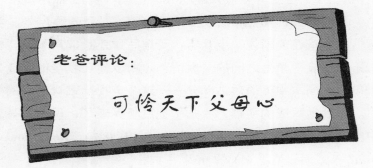

老爸评论：

可怜天下父母心

　　培养孩子读大学，是做父母的一大心愿。从乡下走进交大校园、在抗战烽火中完成学业的父亲告诉我：教育的确能改变人的一生。他后来成为一名工程师，而不是像他父亲一样继续做一个乡下地主。到了文革结束恢复高考，我这个只念了一年初中的人有机会考进大学，才有了我的今天。我告诉女儿：良好的教育才能给你真正的自由。

　　送孩子进大学、进好大学，是父母希望孩子追求上进的美好愿望。我们常常看到有报道说中国和日本的家长如何把孩子送进名牌小学、名牌中学，竞争从小学开始，有人更以为这是不时髦的亚洲文化的表现。你看看下面这个故事，也许就知道了何谓"天下父母一般心"啦。

　　2002年《华尔街日报》有个重点报道：所罗门美邦的知名电信分析师杰克·格鲁曼涉嫌故意上调美国电话电报公司的股票评级受到司法调查。是什么原因让格鲁曼冒着毁掉职业前程的风险去违法呢？

　　原来格鲁曼有一对双胞胎的小孩，要进一所私立幼儿园。这所顶尖的幼儿园声称可以培养出进入常春藤盟校的聪明孩子。尽管收费高昂，家长们仍然趋之若鹜，

挤破头也要把孩子送进去。问题在于：进入这个曼哈顿上东区幼儿园的道路似乎跟攀登珠穆朗玛峰一样艰难，家长们动员所有关系，甚至聘请专业公司辅导小孩面试技巧（听起来比亚洲家长还专业、到位）。

格鲁曼老兄写信给朋友——花旗集团的首席执行官桑福德·韦尔，信中说："如果您能请他们（幼儿园董事会成员）在方便之时运用其影响力来帮助我们，我将不胜感激。"格鲁曼的孩子如愿进了那所幼儿园。然而现在政府正在调查，花旗集团捐赠给幼儿园的100万美元是否跟韦尔最后摆平幼儿园有关，是否跟格鲁曼上调美国电话电报公司的股票评级有关。（还有其他违规行为，格鲁曼最后认罚1 500万美元，终生不能涉足证券业。）

美国孩子要读大学，几乎都能进得去，差别只在于学校的质量和名气。什么样的学生在美国才能进入顶尖大学的本科呢？成绩不好是绝对不行的，光成绩好也不行。哈佛大学在招生简章上这样解释它的录取标准：学业成绩、课外活动、性格修养。

学业成绩包括SAT考分和课程累计分GPA，还有修课的难度。女儿的高中实行学分制，选修课很多。不排除一些学生为了保持好的成绩就故意修容易的课，这样的优秀成绩会被大学打折扣的。据说2002年的美国花样滑冰冠军也是考出了顶尖的SAT成绩才进哈佛的。课外活动包括社区义工、音体美才华、参加各种有意义的论坛和夏令营、科学研究、各种学生组织和俱乐部的活动及其领导能力、全国性的得奖等等。

与许多美国父母一样，我希望女儿能读一个好大学。但

是，如果她只能进普通大学，她也是我终生最爱的人，正如智者所说："孩子是我们在这个世界上惟一值得看守的财富。"

Kate 是一个容易佩服别人的人，在家里谈到每一个周围的朋友都是夸别人聪明，再加上做父母的永远觉得自己孩子做得不够好，所以我一直认为 Kate 不算出色。这倒让我有借口松一口气：送她到便宜的公立大学可以省我不少钱啦。

我成长于一个有四个孩子的家庭，Kate 的妈妈有七个兄弟姐妹，我们都成长于大家庭。父母放手让孩子发展（这么多孩子不放手也不行），只要没有人告状就行。

家庭的影响使我们对女儿的教育是管大不管小，我尤其不愿意让女儿感到压力，好像是我们强迫她为父母读书似的。进了初中后，我不过问她的家庭作业，只读一读她的学校报告。如果发现问题，我会问女儿：有什么我可以帮助的？

我当然希望推动女儿学得更好，但父母盯得太紧，孩子也许会误认为是在替老爸老妈学习，自己失去学习的动力和热情，会影响到孩子能力的最大发挥。毕竟，替父母"打工"与孩子为自己奋斗有很大差别。我们知道"为谁扛枪，为谁打仗"是"革命"的首要问题。管得太严的父母造成了孩子对学习和纪律的反感，孩子真的要阳奉阴违，父母也做不到明察秋毫。

信任可以培养孩子的责任感和自我动力。

必须坦白，做个现代孩子的父母不容易，做个小鬼子的老爸就更难啦。下面有个故事。那时 Kate 在读高一，一天晚上，积了一肚子教训词的老爸我要教育教育孩子啦。我坐在沙发上对小鬼子讲："Kate，你过来。"

小鬼子不情愿地走过来。我火气很大地说："你今天在

图书馆为什么对爸爸不尊重？"小鬼子不认错地看看我。我奇怪，她明明错了，为什么眼睛还能如此明亮地看着我，毫无内疚感？也许她没有意识到错误的严重性？

老爸我继续增加她的错误内容，说："最近不好好练琴，期中又给我拿回一个 A – 来。"

小鬼子反击了，不服气地说："这个成绩关今天什么事？乱扯什么呀！"

我的火气窜了上来，"你放老实点！"我看过贫下中农斗地主的电影镜头，知道一声断喝的威慑力量。

小鬼子中文不好，只好学我的一声断喝，"你放老实点！"

我一巴掌拍在桌子上，"放肆！你敢这么跟我说话？！"

小鬼子也学着马上拍了一下桌子，"放肆！你敢这么跟我说话？！"

立竿见影，父母真是孩子的光辉榜样。

我当时就气昏了，手抖着指着小鬼子，"你敢跟我拍桌子？！你这个小丫头！"孩子也学着说："你敢跟我拍桌子？！你这个小爸爸！"我怔住了，说不出话来。

事后一想，我又能说什么呢？总不能说岁数大才可以拍桌子吧？更不能说我养你，才该拍桌子吧？跟女儿和好后，我告诉她，有些话你也许当面不能讲得很有条理，写封信给爸爸妈妈吧，谈谈你对我们的教育方法的期待。下面是我编译、节选的她的英文信：

众所周知，父母在孩子的成长与教育中起着关键性的作用。同样，父母的教育方法也非常重要。在中美两个国家中，父母的教育方法非常不同。

中国一直被认为在产生聪明和能干的孩子。我的美国同学已经习惯把身边的每个中国孩子标榜为"天才"，无论是否属实。部分原因是中国孩子学习动机强烈。在我看来，父母对教育的重视起了关键性的作用。

你们把孩子送去学音乐、学中文等，刺激了孩子的智力发育。中国父母总是把教育放在孩子生活的第一位，你们期待并指导孩子努力学习和积极对待学习。让孩子进最好的学校是中国父母努力的目标。为了送我的表妹进最好而不是较好的中学，我在中国的姨妈借了很多钱去交给学校。

我有个朋友哈尔是小天才（在美国），才13岁就进了大学的天才班，哈尔的父母就随着他的上学地点换工作、搬家。为了接送他上下课，他妈妈放弃了继续上学和工作的机会。我愿意把这种行为歌颂为"爱的牺牲"。相信大多数的你们会做出同样的牺牲。我赞扬你们为了培养孩子如此地奉献，你们的奉献在孩子成长的每一步都会开花结果。

我的奶奶到美国来玩，作为一位老人处处受到陌生人的照顾，她为周围人的善良和体贴所打动。那么，作为父母，你们是否还应该为孩子提供生活的愉快呢？

我的许多美国同学跟父母是好朋友，可以把秘密和忧虑信任地告诉父母。父母理解孩子的情感方面（Emotional Side），这一点上你们是否需要改进？

她们的父母理解孩子的能力极限，不会看见一个"A－"就气急败坏，因为他们知道成绩并不总能测量孩子的真正价值。他们倾向于看全面和长期，而不是纠缠每一项作业的得分。她们的父母从学校的进步报告中看到改进之处，而不是在成绩单的全A海洋中揪出一个

A-，大发教训之辞。

　　她们的父母乐意跟孩子讨论问题并向孩子学习，帮助孩子设定目标，奖赏成功。你看，他们倾听我们孩子的声音，无论成功与失败都说出鼓励的话语，而不只是做决定。他们从不放弃对孩子的信任和信心。我们孩子需要的是鼓励教育中的爱的感受和体现。

　　她们的父母关心孩子的幸福和身体健康，孩子能否长成一个身心正常的人，这点比学习成绩更重要。我和许多同学认为，做人最重要的是友好、同情、对生活的欣赏和感恩。这些品质需要父母的言传身教。

　　你也许嫌我花了太多的篇幅来颂扬美国同学的父母。其实，当我们要改进自己时，我们总要把眼光集中在其他人的优点上，以便能够更新自己。这就是我在这里谈中美父母的最好而不是最糟的方面的原因。

　　我无意劝说你改变整个教育观点，只是提供给你信息，通报其他父母在同样问题上是怎么做的。

　　教育的确影响孩子的一生，身为父母你们是否能够担此重任？每个父母的正确观点会有所不同。我告诉你我的观点，一个 15 岁的人的观点，你也许未曾听到过：父母应该友好、理解、温柔，导师加朋友，也要哺育；希望孩子最好但要了解孩子的极限，鼓励孩子挑战自己。

　　孩童时代只有一次，我们期待和父母共同经历这一美好时光。做父母不困难，难的是抓住机会成为伟大的父母。你准备好努力去做了吗？

第2章

第一战
——PSAT 大怪物

成长1+1

Confessions of an American Nerd

　　我是个懒蛋。真的，不骗你。我在学校里刻苦学习，只不过是因为我逼着自己，我有一个具体的目标。如果没有这些驱动力，我简直就像一条躺在太阳下的、胖胖的小懒虫。

　　说句心里话，我梦想的生活是这样的：住在一个海边的小木屋里，屋里是汪洋书海，屋外还有一个玫瑰花园。当然，现实总会把理想击碎，因为我没有钱——所以我要成功，直到有一天可以享受到我的梦幻生活。

　　不管怎么说，言归正传，回到我的懒惰。

　　是啊，到了十月份了，我刚刚步入日常生活的正轨，学校——作业——晚饭——作业——睡觉，周而复始地循环。突然，"轰"地一声，犹如晴天霹雳，学生顾问提醒我们：这个月末就要考恐怖的 PSAT 了。天哪，我完全忘了这个茬儿，忘了这件事有多重要！好吧，我承认，根本是我不想记起。我在学校天天疲于奔命，也懒得准备考试，直拖到现在，快考试了才想到 PSAT，我没有认识到事情的严重性。

　　PSAT 是高中三年级学生的 SAT 预考，这个考试预测大学考试 SAT 的分数。与 SAT 的不同之处在于：PSAT 多了一个写作部分。PSAT 每部分满分 80 分，相当于 SAT 每部分的满分 800 分。PSAT 共三部分，总分 240 分。

　　如果你预考栽了，没事儿，大学不会拒绝你，因为预考成绩根本不需要寄到大学去。但是如果你考得特别好，大学的天堂之门就会向你打开。PSAT 又称 "National Merit Scholarship Qualifying Test，NMSQT"，即 "国家奖学金合格考试"。能考到 1% 顶尖水平的人就会被选进国家奖学金的半决赛名单，最后的 8 000 个幸运儿会拿到国家奖学金。进入半决赛名单本身就会让你的简历镀一层金！那些名校总能打听到你的预考分数，然后用各种宣传材料把那些高分孩子给砸晕。

那些上不上大学无所谓的懒虫们，甚至都不用考 PSAT。但是对梦想着进入前 20 名大学的我来说，PSAT 至关重要。

但是我太轻敌了，因为我高二的时候已经考过了 PSAT（考着玩的，不算数），犯得上再复习一次，受一次折磨吗？再加上，正在学习的破积分和破导数已经压得我喘不过气来。英语老师又让我写一篇书评——这本书真是从古至今最最乏味的一本（那是霍桑的《红字》，如果你真想看的话）。

我还是有一些莫名其妙的恐惧，很难形容，也无法捉摸，但是我的第六感告诉我，PSAT 考试会正式开启我的大学申请之旅。我很害怕。我会使尽九牛二虎之力走好这条路，但我还是不想面对申请过程中的种种艰辛。

这个时候，假设弗洛伊德来给我做精神分析，他可能会说我是为了安抚过去的伤痕。这么说有点道理。因为我去年的 PSAT 考得并不理想，我害怕再次失败。当然，复习对成绩可以有所补救，但是一想起要这么做，我就觉得闹心、不舒服。一旦我决定开始，就得非常投入，这就是一个郑重的、严肃的承诺。预考就像订婚，接下来我就要嫁给各种考试——相守整整一年啊！

我是这么憎恶这个预考，甚至不愿告诉我的父母，因为我知道他们肯定想让我全力以赴，好好学习。我拖了一段时间，才捎带提了一下，说这只是"一次练习"。不出所料，他们还是让我要有所准备。我很听话地在学校找到一本复习手册。

这本复习手册在我的书桌上躺了几个星期，积满了灰尘。我埋头于课程作业（收获不菲，微积分得了 A，英语老师斯罗格拉斯先生酷爱我的作文）。偶尔想起来的时候，我才有一搭没一搭地翻一下复习手册。

　　我安慰自己说，我的朋友们都还没有开始准备 PSAT，都把它当成注定要降临、躲也躲不掉的魔鬼。现在回过头看，这种“安慰”真是犯了一个大错误。不是说我没有准备考试，而是我不该拿自己和那些目标跟我不一样的朋友相比较，我应该跟充分发挥出潜能的自我相比。唉，如果时光能够倒流，我会把更多的精力放在 PSAT 上的。

　　现在说什么也没用了，世上没有后悔药可吃。我最终认识到，努力有多重要，只可惜明白得太晚了。我无意中读到一本叫做《怎样进入顶尖大学》的书，不由得眼冒金星——原来 PSAT 这么重要，国家奖学金这么荣耀。我心里就像挂了一个秤砣。和那些进入顶尖学校的优秀学生相比，我好泄气啊！我马上扫了一眼日历，眼看离考试就剩几天时间了。

　　恐惧如电光火石般一闪。我马上惊醒了，抖掉 PSAT 课本上的灰尘，开始做试题。第一套题语言和数学就做了 145 分，相当于 SAT 得 1 450 分（满分 1 600 分），写作部分得了满分。

　　我松了一口气，虽然这个分数还没有达到我的个人目标。接下来的几天，我开始做最后的突击，看完了分析、例句、填空、评论性阅读部分，把我已经生锈了的几何和代数也擦擦光。我暗自祷告，希望临阵磨枪能大胜而归。但与此同时，心底里有一个小小声音不识相地嗡嗡叫：你要是早点开始准备就好了。

　　考试前夜，我把自己全副武装起来，包括在物质上和精神上的武装。我装好了四根二号铅笔，一根自动铅笔，一个死贵死贵的高档 TＩ-89 计算器（它花了我 159.99 美元），我的驾驶执照（照片上的我像个怪人，但是所有人的照片都是这个烂样子），两个橡皮擦以及准考证。

　　把我的书包检查了四遍以后，我放心地泡了一个很长时

18

间的澡，在澡盆里畅想了一下美好的未来。我想像着我拿了满分 240 分，我的父母喜气洋洋，我的国家奖学金，每一个常春藤盟校都争先恐后地给我寄来了入学通知书。

这些想像让我激动坏了，翻来覆去睡不着。美好的幻觉掩盖了一个事实：我的确没有准备好这场考试。

早晨起来的时候，我心情很差，向父母乱发了一顿脾气，早餐只吃了一点点。为这事儿我和爸爸还吵了架。爸爸坚持相信填饱了肚子才能对付考试，但我就是一点儿也不饿。尽管我知道我会后悔的，但还是空着肚子、又气又恼地离开了家。我不知道自己是怎么回事，也许是耽误复习的懊悔悄悄浮上了心头。我不能面对这个事实：我没有准备好考试。

我郁郁寡欢，独自开车到了学校，排队进入考场。我的学校是周围几个高中里惟一的 PSAT 考点，到处都是高中生。有一些懵懵懂懂，几乎没睡醒，另一些因为喝了三杯咖啡而显得过于亢奋。我悄悄地排队，装出一副满不在乎的样子，好像一点儿都不紧张。

坐在考场里，我的肚子开始唱空城计了。唉，老爸毕竟是对的。还好，考试一开始我就忘了饥饿这回事。考题比我做过的练习题难，尤其是数学部分。但我还是答完了所有的题目，然后下笔如风，写完了作文。

自我感觉稍稍好了一些。我走出考场，一群已经交卷的朋友正在聊天。尼克——一个非常聪明的男孩，一边打哈欠一边说，今天的考试实在太容易了。他洋洋得意地说自己能通吃数学部分，但那正是我的滑铁卢。我真想给他一拳，把他的脸变成柿子饼。但是我只是勉强地挤出一丝苦笑。回到家里，我觉得完全筋疲力尽，与此同时，神经还在跳动。

在等待成绩的那段时间里，我自然而然就忘记了不尽如

人意的数学部分，只想到容易的语法和写作部分。我在心里默默地想了好几遍试题，感觉自己做得还不错。我给自己打气：我可是修炼到了微积分高级阶段的人啊，数学部分没准儿也不错。嗨，我是说，再差又能差到哪儿去呢？

几个星期以后，我完全忘了 PSAT，回到辛苦的学校生活中。为了回避任何关于考试的联想，我把考试手册丢进了垃圾桶，清出了所有的考试复习书，小心地把《怎样进入顶尖大学》藏在我看不见的地方。

可惜的是，我不能永远都藏起来。12 月的某一天，我掉进了冰窟窿：要宣布 PSAT 考试结果了。分数已经来了。我独自一人跑到会议室，而很多紧张兮兮的孩子是和父母一起来的。

我拿起我的分数，坐下来，慢慢地拆开信封，小心翼翼地瞄了一眼。刹那间，我都快晕倒了——我的数学怎么考得这么惨啊？总分 80 分，我只拿了 64 分，对我来说，真是一个不可思议的成绩！我的几何一塌糊涂，看看我把什么做错了——一个点坐标（3，0）让我错写成（0，3）。我都快要哭了。

数学成绩把我的心情搞得太差了，以至于我的语言高分和写作满分（75 分和 80 分）也不能让我快活一点点。

和朋友们相比，我确实比大多数人都答得好，但我还是非常沮丧。朋友们觉得我真是变态，我的分数反正已经进了金字塔的顶端——1%，可以进入国家奖学金的候选人名单了。我没有办法让他们理解，那不完全是分数的问题，而是我没有充分发挥自己的潜力。我的无知、懒惰让我很恼火。我有点怕把这个成绩拿给我的父母。但是我没法告诉我的朋友这些想法，因为她们根本不会理解！我们在不同的环境里长大，她们也许会觉得我父母是什么牛头蛇身的怪物，才会对这么好的成绩失望。

我垂头丧气地把成绩单递给爸爸，爸爸很失望。不只是因为分数低（按我们的标准），最重要的是我没有好好准备，没有发挥出应有的潜力。我到现在才知道爸爸是对的，我不幸被他言中，让他失望了。

爸爸说，他有很多考试经验，只要我能拼死拼活熬三个月，就一定能考出顶尖成绩。

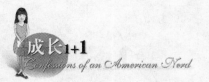

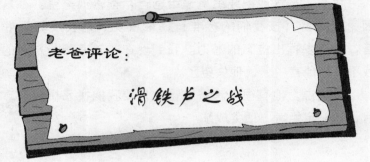

老爸评论：

滑铁卢之战

女儿倒不是一个懒蛋，只是跟我有一点相同：一卷在手，可以忘记周围世界，不问时事功名。但是，我俩还是有天壤之别的，我放下书籍就返回世界，拾起伟大理想，她放下书籍就走进厨房——她的理想就是做家庭主妇。

记得还在她读初中时，一天她说学校做了一个测试，看学生是哪一种类型的人才。我赶紧问她是哪一种，她说是艺术型。我一乐，说：女儿呀，你就等着好莱坞的挖星倒爷们在俺家门口排队吧。女儿说：哪里的话呀，老爸，我适合做家庭妇女、学前班老师和心理辅导员（顶多相当于团支书或连指导员）。老爸我失望透了，辛辛苦苦送她学琴、学舞、学数学，到头来落得这个下场。

到现在，她最喜欢的事情就是做菜，收集大量的菜谱，每天一个花样，让我吃得头大。我告诉她："以后你的丈夫应该非常感谢我，因为他吃的好菜全是拿岳父大人的胃练习出来的呀。"

我小时候哪里像她这样，我是人小志不小，胸怀祖国，放眼世界，想的是怎样才能在有限的生命中为人民做出无限的贡献。即使人到中年，我也能做到老骥伏枥、志在千里，

22

人到中年万事不肯休。

　　所以，一个没有理想的小鬼子，能指望她念念不忘一场令人讨厌的考试吗？Kate这个丫头，从来考试就是瞒着我，包括重要的全国性考试，也不告诉我她得了什么奖。她这样做的目的就是免得父母施加压力。这就是她的哲学：学习是她的内政，老爸最好闭上乌鸦嘴，不要说三道四。

　　美国从小学到高中毕业是12年，高中大都是4年，女儿的高三相当于中国的高二，我曾经建议女儿在高二时提前考了PSAT，分数当然是不做数的，主要是为了锻炼她。在女儿的高三年级，全国约有300万学生，参加PSAT考试的只有160多万，许多高中生不愿意参加预考，有许多人没有打算读大学。

　　这个PSAT考试，我也完全忘记了。那是2001年9月，当时我去中国办事，整个心思不在女儿的学习上。我从中国回来，还给女儿带了她喜欢的中文电视连续剧（她的中文口语从电视剧里学了不少），她居然在考试前几天抓紧把电视剧看完了。到了最后几天她才告诉我：明天考PSAT。

　　你可以想象，老爸我嘴巴都气歪了。我若是知道她马上有个PSAT，怎么会把电视剧送给她看！我还傻兮兮地陪着她看了几集，讨好地对那部更傻兮兮的电视剧随声叫好。

　　其实，Kate是个约束力非常强的孩子，不做完功课不会去玩，非常有条理，忙起来会把第二天要做的事写在小纸条上，做一件划掉一件。所以，我能对她放手。可就是这样的孩子，也有掂不出轻重的时候。

　　那个学期她的确很忙，选修了六门功课，其中有四门是大学水平的AP课程。记得我陪她去见学校副校长获得修课批准时，副校长非常担心地望着她，问：你能吃得消吗？她说能。Kate那学年修的AP课有微积分、英语写作、生物和

世界历史。美国高中的课外作业比较多，AP 老师不仅要讲好课，还要帮助学生准备全国 AP 考试。

问题是，她还有许多课外活动。每星期一晚要参加市青年交响乐团的排练，每天要到体育馆锻炼，每周五晚有钢琴课，每周六上午有绘画课，每周日上午有中文作业，下午上中文学校，晚上在医院做四个小时的义务护士。Kate 忙得没时间看电影，晚上 10 点才休息。当然，如果选择容易的课，不参加社会活动，她也可以轻轻松松。

记得到了 PSAT 考试的早晨，她拉长了脸到餐室，说不想吃饭。那段时间，她奉行素食主义加上保护动物权利，对食品特别挑剔。我一听到她又不吃饭，就非要她吃牛奶、鸡蛋。我们就吵了起来，她赌气不吃饭离开了家。

事后看来，我做得太急。我发现她的不对，总想让她马上就改，以后不再犯。"罗马不是一天建成的"，孩子也不是一次教育好的。要有个等待她想通了的时间，要容许她有反复。而且，在她上考场的最后一刻吵架，把她心情搞得很烂，怎么能够正常发挥呢？她没考好，也跟我有关。

这个早晨及其后果给我的教育是，永远不要在孩子出场时教训她。以后送她去考场时我都会给她一个拥抱，说"Enjoy your test（享受考试吧！）"。

我一直以为，Kate 的数学会考得跟练习水平一样好。当 Kate 把 PSAT 成绩递给我时，我也不敢相信她的数学会考得这么差，不仅没有到达平时的水平，甚至比一年前考的成绩还差。

我倒不是看重结果的人，但我强调努力。我告诉 Kate：只要你尽了力，就可以坦然面对任何结果；但是，因为自己不尽力而失败，你将问心有愧，无颜回首。

现在的情况就是没有尽力。我当然非常失望，把 Kate 找来谈了一次话。我告诉她：数学需要解题技巧、解题速度，数学成绩是可以通过短时间的训练提高的。我知道怎样对付数学题，我愿意帮助她设计一个方案，在三个月内把数学成绩提高到拔尖水平。

Kate 的顾虑很多，怕我的方法不好会让她在正式的 SAT 中考臭。我知道她肚子里的小算盘。我告诉她，考试不是你一个人的任务和责任，如果你肯按我的方案准备，考坏了算我的，你没有任何责任，算是替我考一次。

她立刻就轻松地答应了。SAT 每年举行六次，一个学生的 SAT 可以考许多次，然后选自己最好的一次报告给大学。这样做没有负面影响。大学不希望学生发挥不好而成绩不佳，希望考分代表学生的最高水平。Kate 有个男同学考了五次，最后得了满分。其实，这样做没有多大意义，大学不会因为一点分数差别就淘汰申请人。

Kate 的高中不组织任何针对 SAT 考试的训练，学生们主要靠自己准备考试。我和 Kate 达成共识：锁定 2002 年 3 月考 SAT。也就是三个月以后，我担任她的考试教练，负责训练安排、讲解数学题，她如同场上队员，锻炼技能，实现教练意图。这是我第一次全面介入她的学习。以后的结果证明，这种合作方式非常有效，减少了我们之间的冲突，她能从容地按计划准备，进程在我们的掌控之中。

第 **3** 章

爸爸的进攻计划

也许你还没有觉察到，我爸爸确实是一个特聪明的家伙（我可从来不当着他的面说这样的话）。他没有念过高中，但还是考上了大学、来到美国读书，而后这位经济学家又出版了自己的文学作品，现在忙着做商业。他精力充沛，不知疲倦，眼光长远，对未来有很多规划。一句话，他是个劲头十足的家伙。所以，他理所当然地希望我能有远大前程。虽然不像其他华裔父母一样全力推动孩子，但是我能够感觉到他的期望。一旦辜负了这种期望，我会比他更加不好受。

你知道吗？我的家族就是一个努力奋斗的传奇故事。我爷爷从一个农村家庭走出来，成为大企业的总工程师，管理着上万名的雇员；我爸爸，上面已经讲过了他的奋斗史；我的妈妈是她家里八个兄弟姐妹中间受教育程度最高的一个。他们的成就都是来自于努力工作，不管环境有多么恶劣。所以我觉得有责任继承他们的传统，把我的有利条件充分发挥出来，让父母家人为我而骄傲。但是，可恶的 PSAT 已经证明了我的惨败，这种感觉太糟糕了。

还好，爸爸有一个拯救我的计划，他要把我推到 SAT 战役的最前线。他保证说，他有丰富的应试经验，如果能严格遵循他的计划，我就一定能游刃有余地渡过考试的惊涛骇浪。

我当时对怎么开始复习手足无措，完全没了主意，只好顺从地把自己的命运交到爸爸的手里。他警告说，光有他的指导是不够的，我必须要有学习的动力来实现这些指导。我被 PSAT 考试的失败震得半傻，只好放弃征服 SAT 的个人设计，把我的面子也暂时放到一边，乖乖地听爸爸的安排。

他的计划很简单，也很有效——通过无穷无尽的练习来加强我的弱项。

他把我考试的失败归结为两点：不熟悉题型和题目的表

达方式，缺乏高效的解题技巧。我的数学知识足够了，但我的技巧不够，我没有表现知识的手段。

他指责我所有的数学老师都不称职，说他们那样教课完全是误人子弟。他的话听起来真的很刺耳，但是我不得不承认，他是对的，因为实在没有一个老师教会我怎样抽象思维。我的数学成绩是挺好，但那只是照猫画虎地解算同类问题就得了全 A，而不是像一个出色的数学家一样，运用创造性思维。我的脑袋被课本僵化了，不能突破定向思维，出奇制胜地解决问题。爸爸要我改变自己，但该怎么做呢？

首先确定我的弱项，很明显我的弱项是几何。我从来都不喜欢这门课，因为所有的图形和角度都让我伤脑筋。一看见满篇的三角形，我就开始头疼。代数还稍微强一点，因为它涉及的是具体数字而不是旋绕的曲线。

我的滑铁卢是数量比较类型的题目，这种题是给你两种表达式，问你哪一个更大，或者二者相等，或者因已知条件不够而不能确定。我最怕做这类题，因为根本没有具体数字可以比较，经常是比较几何比例和角度。我常常无可奈何地选择"关系不定"，不是真的关系不确定，而是我自己没看懂问题，又不想在卷面上留下空白。真是大错特错。

爸爸教了我几招。第一，不要在一个不懂的问题上流连忘返，先做后面的题，然后再回来解难题。如果还做不出来，不要随机选择答案（错误扣分比率大于随机得分几率），就让它空白。这完全背离了我的信念，我觉得任何一个答题的位置都不应该空白。这简直是亵渎神灵！

第二，要敢于合理猜测答案（合理猜测排除了明显错误选择，剩下的选择得分比率高于扣分比率）。这又是个大问题，我讨厌猜，喜欢胸有成竹的答案。迫不得已的时候，我也会做合理猜测，但从来没有把它当成一项考试策略来实

行。这就是为什么女孩的 SAT 分数要比男孩低的原因（这是被研究证明了的），因为女生不像男生那样敢大胆猜测。

最后，爸爸提供的最有帮助的一点，就是让我记住特殊数的平方和一些常用公式。SAT 的复习书和专家们说我用不着背这些东西。爸爸说："你不是非得记住，但是最好能记住。"他是对的。熟记这些基本结果和公式，我对它们可以随口道来，不必非得依赖于我的计算器才能算出 15 的平方是多少。

这里引出另一个问题——我的计算器。我崇拜计算器，它比我聪明（可以做微积分和三维图形），但是爸爸警告我，计算器只是人的工具，不是答案。我以前依赖计算器，甚至做最简单的运算时也用计算器。但是爸爸说，这些简单运算心算比机算快。这可真是个问题，因为我已经习惯了一遇到问题就把手伸向我豪华的 TⅠ-89 计算器。计算 $3 \times 4 \times 5$ 这样的白痴问题，其实我的大脑本来可以立刻报出答案。

怎样才能一揽子解决这些问题？练习！练习！

中国父母最美好的品德是：他们愿意在子女教育上花大价钱。我爸爸和我在亚马逊网上书店买了一大箩筐的 SAT 复习课本，多半是数学。（一年后达到 30 本！）我被那金额不断上涨的账单吓得战战兢兢，但是爸爸不以为然地耸耸肩，说我的未来是不可以用这些钱来衡量的。

即使是今天，一想起当时花了那么多钱买书，我还是觉得后怕。但现实就是那么残酷，只有用题海战术，我才能达到我的目标。我猜想，这就是为什么有钱人的孩子能够考好 SAT 的原因，因为他们请得起家庭教师，买得起成吨的书，参加得起昂贵的训练班。我还省了钱，因为我雇我爸爸做家庭教师，复习计划也是我们自己制定的。

复习书送到的时候，确实激动人心。我被那些新鲜而权威的封面震慑住了，大标题触目惊心："包你提高分数！"
崭新的复习书给我带来了决心和目的。靠这些战斗武器，我
也许能制服 SAT 这个大野兽。

每次做完一套模拟试题，我都要仔细检查为什么会出
错，如果我不能解释，或者解释起来很困难，就和爸爸一起
讨论。爸爸总是要问我先说为什么错了，我总是回答不出
来。爸爸是个非常聪明的人。像很多聪明人一样，如果别人
反应慢一些（比如我），他就会很不耐烦，他觉得这些问题
对他来说太容易了。有好几次，我都被他气哭了。我不愿意
接受他那些有效而又古怪的解题方法。

这种讨论总要持续两个小时。到最后，我学到很多，但
也觉得筋疲力尽。讨论以后，我就找一些和我曾经做错的题
目相类似的题型，一遍又一遍地练习。我还做了一个表格，
把我经常做错的题型都列在里面，每次做完模拟试题都记录
得分。这是爸爸要求的，也的确有用。眼看着分数一天天往
上涨，真是令我自信心膨胀啊！

爸爸的计划在提高分数方面效果显著，但它的优点就是
它的弱点。它要求重复和频繁地复习，很容易把一个精神正
常的人变成一个机器。我怎么能扛得下来呢？有三个理由：

第一个理由听起来有点离谱。中国内地的学生就是这样
一遍一遍做着几乎完全一样的作业，比我更苦。这让我想
到：吃苦耐劳已经编进了我们中国人的基因，生活的环境又
强化了这一点。这是亘古以来的心理传统（我的心理学没有
白学），我绝对相信。中国孩子与生俱来就有一种能力，可
以全神贯注、刻苦努力，而家庭环境又进一步加强了这种能
力。

第二个原因是我迫不及待地想做好，证明我是有能力
的。上次的成绩是不小心考坏的，不能代表我的真实水平。

第三个原因当然是为了上大学。我不知道我能上哪所大学，但我知道，必须是排名在前 20 名当中的一个。

这样的复习有用吗？那还用说！做完那些地狱式的练习后，我的成绩不断地提高。数学从 730 分升到 800 分，语言基本是 800 分。做了大约 30 套模拟题后，我不再害怕 SAT 了——它只是我必将跨越的山丘之一。爸爸已经成功地提高了我的自信心。

3 月 16 号悄悄地临近了。我只是把这天当成另一次测试而已，不是一次大考，只是一次普通的练习。我此刻心理坚强，脑袋聪明，精神兴奋。

没错儿，兴奋，不是紧张。这次我什么都不怕了。我已经全力准备，毫无遗憾。是的，对这次考试我已经迫不及待了。

考试前那个晚上，我睡得很香、很放松，也没有心事。早上起来，我美美地吃了一顿早餐。我无忧无虑地走进考场，听到周围有人说："我好紧张啊，我昨天晚上才第一次看试题。"我得意地笑了。哈，高人一头的感觉让我的肾上腺素增加。

最带劲的是我的考场就是我的英语教室。看到墙上电影海报丹尼尔·戴·刘易斯和蔼的面孔（这可是斯诺德格拉斯先生最喜欢的演员），我觉得没有任何力量可以阻挡我。真的，连试题都那么简单。数学不难，哎呀，语言太简单了！做完以后，我确信自己考得很好。我哼着小调开车回了家。

等待结果的日子里，我没有继续回味这次考试，而是转入了正常的生活。一天傍晚，我准备收拾东西出门参加为期几天的 AP 微积分考试培训露营，妈妈带着邮件来了。我正在把衣服放到箱子里去，突然听到她大叫："Kate，你的 SAT 成绩到了！你猜你考得怎么样？"看到 1 560 分清晰地印在成绩单上的时候，我都快晕倒了！我真不敢相信！

　　我应该能想得到，事情应该是这样的。我这么努力，复习了这么久，现在回报到了。我不用考第二次，我也绝对相信，任何大学不会因为我的 SAT 成绩拒绝我啦。爸爸骄傲死了，虽然没有欢呼雀跃，但我知道他感觉好得不得了。我觉得从容不迫，对未来成竹在胸，因为这次我学到人生的一课：只要我全力以赴，没有做不成的事情。

　　我现在知道自己潜力无限，真是奇妙啊！

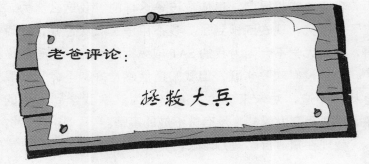

老爸评论：

拯救大兵

　　这里要讲一下，美国大学董事会是 1990 年创立的非营利会员组织，它的会员包括 4 200 所各类院校，每年为 300 万以上的高中学生、2.2 万所高中、3 500 所大学服务，它的主要服务包括计划申请大学、组织 SAT 和 AP 考试、协助选择和申请大学、评估财务资助 CSS 表格。

　　让我们继续跟随 Kate 的 SAT 考试吧。我决定拯救大兵 Kate，带领她走出 SAT 的苦海。因为我出国留学时训练过 GRE，SAT 与 GRE 的语言和数学部分的格式相近，我了解这类考试的技巧。再说，女儿的弱项数学是我的所爱和多年的专业训练，所以我有信心把女儿的 SAT 成绩抓上去。

　　首先，我分析了 Kate 的强弱项。SAT 中最难考高分的是语言，亚裔学生的语言部分得分低于全国水平，数学部分高于全国水平。可是 Kate 正相反，她的语言部分最强，基本可以拿满分。她从小喜欢读书，11 岁以前就读了许多文学作品，积累了丰富的词汇和语言知识。不过，假若她的语言部分不好，我也是有心杀贼、无力回天，因为 SAT 的语言考分是短期没法提高的。

　　语言能力是靠长期积累，要从娃娃抓起，不能临阵磨枪。Kate 的弱项是数学部分。她痛恨数学，部分原因跟我太强调数学有关。我要女儿学好数学，不管其他学科，这样造成了她对数学的反感，对数学缺乏激情和欣赏。

我确定的复习计划是只抓弱项。在三个月的复习时间里，头两个月只复习数学，不看语言。我告诉 Kate，因为她的语言强项已经接近极限，潜力很小，投入多但收入甚微，而弱项的改进潜力大，稍一投入即可明显见成效。

复习要追求每单位的投入带来最多的收效，对总成绩提高最快。这个道理我在学到指数曲线时就明白了，成为经济学家后才知道这叫"边际效用最大"。

我始终有个看法，世界上最好的中学数学老师在中国，他们能够教会学生数学逻辑思维、抽象思维和解题的技巧。我看着 Kate 解题的笨方法就生气：她常常用数字代替推理去解出未知数。她所有的老师都没有教会她怎样进行抽象思维，也没有能力让她热爱数学。真是浪费我老王家的数学基因。

老师们不要求学生记忆基本的三角函数关系和公式，不记忆重要的因式分解公式，更不用说特殊数的平方、常用数的特殊运算结果。考场上是争分夺秒，一切都从头推算太浪费时间。没有计算速度就没有数学高分。另外，美国中学生太依靠计算器，导致基本心算和手算能力不太发达，同样影响了运算速度和对数学表达式的判断能力。

我决定按照中国方式来训练女儿的解题能力，强调推理、熟悉题型和提高速度。我要求她每周末做一套数学题，先掐着时间做一遍，做完后不对答案，再放慢速度做一遍，看看两遍有什么差别，这个差别就是速度造成的。看到了这个差别，Kate 才心服口服地背诵基本公式和特殊数运算。

　　帮助孩子需要耐心和实习。提高了认识的孩子有巨大的能动性。

　　对做错了的题要看是什么原因，如果是太难，就不管它。我的策略是，不必把时间花在难题上，因为 Kate 的目的不是拿满分而是拿高分。正如 Kate 教导我们的，"希望孩子最好但要了解孩子的极限"。

　　记得 20 世纪 80 年代初我在国内考研究生时，一位大学同学说告诉我一个考试秘密。她说，研究生考试不是追求满分，只是追求相对好分，大多数人落选主要是因为在难题上花时间太多，而该拿的分数没有拿到，容易的题没拿到满分。那年我考研成绩很好，从此就把她的话当做考试的信条了。

　　我要求 Kate 把试题错误归类，几套题下来就知道自己的弱点在什么地方了。我们把大部分时间花在加强数学中的弱项，而不是平均地在数学上使力。果然见效比较快，练习分数提高显著。

　　进攻弱项中的弱项，才可以获取最大的总分回报。

　　复习训练的另一个重点就是仔细。Kate 的错误常常在于粗心，把最不该错的题做错。这种事情在考试的紧迫时间下特别容易发生。我们知道，数学训练的一个目的就是培养学生的细心，科学要求对细节的注意。有句名言：质量的差别在于细节。

　　我要求 Kate 认真做完后再迅速地看一遍解题过程，看看是否理解错了题意或有明显的步骤错误，也就是把能得的分都得到。

　　做题速度非常重要。我要求 Kate 把那些花太多时间才解出来的题标出来，然后我们努力去发现更简单的解题方法。我相信正确的答案常常是简单的，如果设计题的人心智正常的话。数学的美丽之一就是简洁。把数学复杂化了的人还只是徘徊在数学门外。

难道上面的这些方法 Kate 都不会吗？不会，真的不会。因为美国的中学教育不是应试教育，所以怎样对付考试的技巧训练远不如中国或者日本发达。Kate 从来不重视考试，我们所在的西海岸比东海岸差。东海岸的高中质量好，重视 SAT 考试，有些学校甚至会辅导 SAT 考试。

我告诉 Kate，考试是检验学生的手段，无论你学得多好，如果不能考好，就不能把自己最好的表现出来，赢得"顾客满意"。在一生中，命运的改变要常常要取决于别人对你的考察。学生以学为主，所以考试就是学生时代的最好的销售手段。SAT 的买主就是大学，成绩考好了，大学追你；考不好，你追大学。

人的成功常常取决于最好地表达自己，推销自己是事业的起点。

从 2002 年 12 月，也就是拿到 PSAT 成绩的三天以后，Kate 就进入复习 SAT 了，每个周末做模拟题。一开始错的题有一半是由于不仔细，慢慢地只剩下没有时间做完的题，最后只剩下的确做不出的题了。这时 Kate 的训练考分就达到了顶尖 1% 了。

准备是非常辛苦的，因为 Kate 这学年修了特别难的课，五月份她还有四门 AP 课程的全国考试。到了考试前最后一个月，我们开始把语言加进复习。到了三月份，Kate 的 SAT 训练成绩比较稳定，语文部分基本是满分，数学部分也波动在 740 分到 800 分之间。

考试结果你已经知道，语言是满分 800 分，数学是 760 分。三个月的时间在人生百年中是短暂的，但却是 Kate 人生中的第一场考验，它已经永久性地给她打上了信念的烙

印：

　　每一分投入都会带来一分收获，如果能把自己最害怕的数学考到这么好，还有什么事情办不到吗？

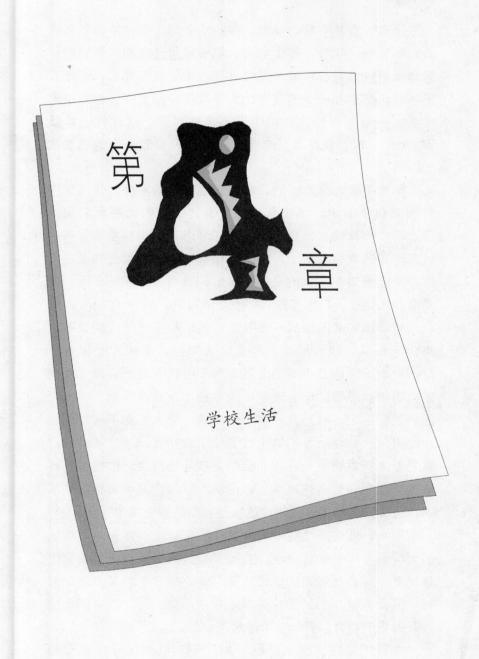

第四章

学校生活

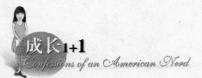

怪事！我并不喜欢学校。你一定会问，那你学习怎么这么好呀？哈，学校不等于学习。学校是用一定的规则组织、管理学习的地方。从某种角度来说，学校有点意思，但是我不喜欢。尽管我所上的高中比大多数高中都要好，但是每天早上，一看到学校门前那个五八怪塑料钟，就让我一阵反胃。OK、OK，我是有点夸张，事实上没有我形容的那么差劲。

学校是最近整修过的，刷了一层稚气的彩色，让人觉得好像回到了小学。学校有一座带看台的室内比赛和表演大厅，两个体育馆，馆里有更衣间和淋浴，是那种屋顶很高、设备时髦的建筑。对了，还有电梯！对着这些漂亮的设施，你可能会流口水。我的高中很幸运，能有这么多好东西，但是悲哀之处在于，大多数人都不珍惜它们。

我最烦我的同学的一点就是：他们不珍惜学校的设备，举止不检点，随心所欲，简直让人愤怒。学校才整修几个月，原本干净的卫生间门上就写满了脏话，地上丢满了变硬的口香糖。愚蠢的毕业班学生故意把水龙头拧得朝上，毫无提防的新生们一打开就被喷了个满脸。恋人们毫不害羞地在走廊里亲热，傻乎乎的男生成群结队地站着，堵住了过道。真是令人厌倦啊，无聊、幼稚的男孩找茬打架，跟他们一样傻的旁观者在旁边煽风点火。很快，我就冷漠地看着这些事情，当成是日常风景。嗨，这就是典型的美国高中！

那么，什么是我高中的美国特色呢？我们有 party，煽情的大会，多年的学校传统，开到半夜的舞会，喧闹的美式足球比赛，穿着超短裙的拉拉队员，难吃的食堂饭菜，团队精神，风云人群，书呆子，溜旱冰者，朋克。总之，中国学校没有的我们都有，有一些可能是不好的。

在我们学校，什么才是"好"呢？和中国学校正好相反，学习好肯定不招人爱。像金发大胸的拉拉队员，肌肉发达的运动傻大个，和我这样的书呆子也不一定"酷"。那什么是"酷"呢？

这是个模糊不清的概念，我想大致是这样的：穿昂贵的名牌衣服，不管别人，随心所欲，有一群引人注目的朋友，参加所有的party，就好像给自己罩上一层光环，好像在大声告诉别人："看我，我好酷！"当然，不是每个风云人物都没脑子，但至少我们学校，最聪明的人（我可不是说我是最聪明的啊）不属于这些"酷人类"。

这些在我看来已经很平常的现象，对许多从中国来的学生来说就太离奇了。美国高中的开放，随意和亲密，会吓倒一些中国大陆来的移民孩子。尽管我表面上看不惯有些行为，但在内心深处，我感谢这种环境。看到一对情侣大声接吻，无意中听到女孩子们虚情假意地互相恭维，我想吐得不行，但我还是觉得有趣，因为这样的事情应该发生在美国。这种自由自在的空气大大减轻了我高三时考 SAT 和 AP 的压力，对我重压下的学习生活很有益处，它卸下了我的部分重压，它把我心里灼热的压力释放出来变成了轻松燃烧的火焰。

我们 2003 级是全校多年来最聪明的一代。聪明孩子聚在一起，智慧的火花就擦出来啦。在历史课上，萨福先生鼓励讨论式学习，让不同的观点都能表达出来。不幸的是，我们班上有一个浑身是味的共和党老鼠安德鲁·斯托克斯巴里，他喜欢说一些极端的观点来挑衅生事，惟恐天下不乱。有一次，他说，如果移民想保持他们的文化传统，那他们就不应该来美国。气得我拳头都攥青了，脸涨得通红。如果不是我的朋友拦住了我，我非得给他一拳。如果这个课程再拖上一年，这个家伙的胡话会把我气得心肌梗塞死掉。

虽然如此，这些讨论还是丰富了我的美国历史知识（以前我不喜欢历史），也提供了我发表观点的地方。历史老师开玩笑说，我简直把课本都背下来了，因为我经常纠正他讲错的地方。但是他从不生气，因为他的信条就是三人行必有我师。政治，经济，国际关系……所有这些方面都被剖析得又朴素又感性。我不仅学会了事实，而且了解了美国是怎么运行的。

这些历史课的同学也在我的英语班上，这是一群快活、机灵的孩子。第一眼看到老师斯诺德哥拉斯先生，我以为他很严肃，但是我很快发现他是个想用最小成本得到最大收益的懒人。他并不循规蹈矩——有一次，一伙人悄悄地搞乱了他的教室布置，他悬赏说，如果有人告诉他是谁干的，他会给他的考试额外加分。当然没有人会告诉他，大家继续对他做恶作剧。整个班级都是他的好朋友，他甚至开玩笑让我们给他的小儿子取名字。

最烦人的是写书评。我们必须读很厚的书，然后分析书的结构（想起来就让人犯困），通常这要花掉很长时间。但是，狡猾的我们发现，他自己根本就不读这些布置的书，所以我们开始随心所欲地写。一次，要看乏味的《瓦尔登湖》，我随便写了一句"梭罗是个大傻瓜"，也得了个A＋！

毫无疑问，斯诺德格拉斯先生很喜欢我，经常把我的文章作为范文。他和历史课的萨福先生老是用我的作业做样本，以至于同学们都叫我"老师的宠物"。当老师拿出一篇范文要朗读的时候，同学们都会不由自主地回头看我，我就无辜地眨一眨眼，装出一副"我可不知道你们在看什么"的样子。我真喜欢这种感觉，因为这再一次证明了我艰苦的学习得到了回报。

最放松的是 AP 微积分高级班。不是吹牛，这个班有全学校最聪明的学生，因为这是程度最高的数学课。班里只有 14 个人，哎呀，他们简直是太聪明了。一半的学生聪明得好像对"A"手到擒来，不用做作业，也不用学习（我并不算在内）。班上有小提琴演奏家、化学炼丹士，好多啊，应有尽有。虽然班级里集中了尖子学生，其实我们也只是一群爱叽叽喳喳的小孩子。

我们在正课开始前都会随意选择一个题目来讨论。一次，一个女生给我们讲她妈妈昨晚在浴盆里生小孩的故事，讲了半堂课，听得我们津津有味。女孩子们讲和男朋友的感情纠葛，我们讨论着谁和谁配对的可能和校园里的八卦新闻。

我们有一种默契，所有谈话只限于课堂上，大家都能遵守。我们就像被上帝选中的阴谋家，别人不能企及的精英。每个人都那么聪明，班里成绩最差的也才是 B！其他班级的同学看我们的时候，一半怀疑，一半好奇，我们乐于他们这样那样的想像。数学老师斯德奇夫人让我们做了三维圆锥边的帽子，用我们喜欢的数学公式制成招贴画，在学校游行。当我们走进正在窃窃私语的新生教室，他们一下子安静下来，看到我们戴着大帽子，半人半神般地进入，他们的小眯缝眼一下子瞪得溜圆。

啊，这个班真是太棒了，满足了我的自我表现欲，虽然我这个自我表现狂已经被班里的超级天才压得不见踪影了。我不是数学天才，但我何其幸运会认识他们！

就数 AP 生物课拉后腿，我的生物老师第一次教这个课程，原来的老师决定结束薪水微薄的教师生涯，开着他的新车去环球旅行。课堂基本上被我们统治了。这个班级才 17 个人，很多人在做课堂测验的时候吃东西。我是爆米花女王，

因为我经常从生锈的铁锅里爆出香喷喷的爆米花。可是有一次，我刚爆完一锅，突然"蹭"地一声冒出火来了。吓得我赶紧用我的宝贝作业本扇冒出来的烟，又叫又跳，就像个袋鼠一样。从那以后，我有很长时间都不敢碰爆米花锅。

我的社交生活怎么样呢？嗯，书呆子还有社交活动？开玩笑啦，我当然有啦，不多，就那么一点点。

我去看过一场美式足球比赛，最大的一场比赛，和同城的死对头首府高中。你肯定知道美国人对美式足球的痴迷了，但是你一定要到现场才知道这种痴迷到了什么程度。这是每年一度的大赛，我们的体育场坐满了人，看台上全是穿蓝白衣服的奥林匹亚高中球迷和穿深红与金黄相间衣服的首府高中的球迷。

观众们各为其主，快把头都叫破了。他们在显摆各种奇怪的衣服和花脸。有的男孩光着上身，涂上"奥林匹亚"的字样，搂着女朋友。穿着超短裙的拉拉队员在草地上表演花样，裙子更短的女生表演方队卖力地踢着美腿（男生们最喜欢），身着制服的行进乐队吹打着震耳的乐曲。

这些场景很有意思，但对我来说，也就那样。我走出体育馆以后，嗓子就像撕裂一样，头也痛得厉害。这场比赛以后，我就再也不参加了，只作为服务者卖票给大家。

我也没有参加过任何正式的舞会，因为：第一，爸爸不希望我去；二，我很小气，不愿意花几百块钱买礼服过一个无聊的晚上。真的，美国女孩在一件衣服上花几百块钱，打理头发，修指甲，首饰，鞋，珠宝，鲜花上面花的钱更多。男孩要花钱去租礼服，支付昂贵的晚餐，买贵得离谱的入场券。

这些可怜的男生还得花钱想花样来打动女孩子。一个男生在女朋友的车里放满了气球，另一个在女朋友的每节课前都送花。有的请来了唱诗班来给女朋友唱歌，还有送了一大筐糖果。是很甜蜜，但是太无聊了。说实在的，将来谁会记得这些舞会呢？也许我是有点妒忌，但我一点也不想念这样的舞会。

我大多数朋友在社交方面和我一样。她们勤奋、单纯，但不像我那样神经绷得很紧。至少，那些相交多年的朋友是这样的。高三的时候，我发现朋友圈变小了，是不同的志向和性格使朋友们疏远了——这是自然规律。我过去的好朋友也分道扬镳了，因为她们的目标和我不同。惟一留下来的是小学同学凯蒂，只有她能理解和接受真正的我，虽然我们仍有差别。其他朋友不是因为我忙于学习而渐渐疏远，就是跑去当追星族。

澄清一下，我没穿着圆点和条纹图案的土里土气的衣服在学校里走来走去，也没有戴着厚厚的眼镜片。我看起来很正常，只是不酷而已。我受到尊重，但不在社交圈子里。惟一的坏处是，懒虫们经常想傍着我，想不费吹灰之力就拿A。为了避开他们，我喜欢独来独往，所有事情按我自己的高标准要求，自己享受成果。

时间一天天过去了，我的日程排得很紧张，又要独立完成作业，这就产生了一个问题：怎样面对压力？我肯定想成功，但也不想精神崩溃。

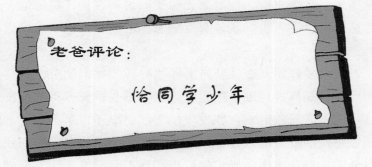

老爸评论：

恰同学少年

　　Kate 在学校的生活是我不怎么了解的。从小学到高中，从来没有过老师家访或者把我叫到学校去。只有一次，初中时 Kate 写了 E-mail 骂一个男生，骂得非常粗犷，那小子把 E-mail 给他的父母看了，父母告到学校，学校送了一封信通知我们，附上了那封 E-mail。我也没有批评女儿，小孩子打骂是正常的，我小时候也没闲着。再说，一定是那小子不对，才会挨 Kate 一通臭骂。我真的看不起告女生状的男生，那一定是保持着穿开裆裤青春心态的男婴儿。

　　高中没有家长会，每学年开始时，有个 "Open House"，欢迎家长参观教室。我只是在 Kate 的盛情邀请下去过一次，就是她的高中最后一学年开始时。家长们按孩子选修的课，依次去上每堂课，了解课堂环境和课程，给任课老师提问，当然每堂课不是通常的 40 分钟而是 10 分钟。

　　去了以后才发现，几个老师都能叫出我的名字，他们都主动地介绍 Kate 的出色表现，看来 Kate 真是老师的 "走狗"。我知道，Kate 并不喜欢一些课程，可是她能努力学习不喜欢的课，让任课老师们误以为自己找到了真传弟子。

　　我告诉女儿，一个人能把自己不喜欢的事情做好，需要有克制力。我们没有生活在一个随心所欲的社会里，虽然做自己喜欢的事情是职业的最高境界，然而这个境界来得很晚，常常是终生错过。

那么，我怎么了解女儿的学校生活呢？每天我们一起开车去体育馆锻炼，晚饭一起聊天，那时她就会讲起学校的故事。通过她的故事，我知道了她的朋友，她的"死敌"，她喜爱的老师，她最讨厌的老师，谁在跟谁约会，谁在花心而没有被女朋友发现，有人在吸毒贩毒，哪些人在喝酒（法定21岁才能喝酒）。

听到这种故事时，我必须忘记自己的父亲身份，把自己当成 Kate 的好朋友，故作感情起伏状，大胆地使用青少年词汇，"哇塞"，"酷"，分享她的感性世界。千万不要发出官僚主义的"哼，哼，哼"声，更不能冒充法官去妄评对错，倾听中不时出一点天真的馊主意以掩盖快要藏不住的老奸巨猾的父母尾巴。

像个孩子才能做孩子的朋友。我记得一句话，不像孩子的人是进不了天堂的。

不这样做会怎么样呢？那我就当不了女儿的知心朋友，不能了解她的情感世界和秘密，身为"家庭领导"我就会高高在上脱离群众，失去对局面的掌握。Kate 说："我的许多美国同学跟父母是好朋友，可以把秘密和忧虑信任地告诉父母。父母理解孩子的情感方面。"

其实。女儿给我讲她的故事，不是为了寻求老爸的英明指示，她只是一吐为快。知道为什么许多人喜欢拜泥菩萨吗？因为菩萨只听不说，人都有倾诉的情感需要，只要你肯端坐不语，就是菩萨一座，如果能适当调动脸部表情配合倾听，你就胜过菩萨啦。

身为书呆子，女儿常常有些苦恼，学习好的人被同学们

贴上 nerd（书呆子）的标签，她会有一种置身同学圈外的感觉，常常因为不能迎合同学而感到孤独。

此时必须给她打气。我告诉她，学生的正道就是学习，学习好不是羞耻。outstanding（杰出）就是 stand out（与众不同），优秀不是免费的，它的代价还包括孤独，高山流水，曲高和寡，你的高中是一所平常学校，如果你有机会去一所优秀大学，那里的出类拔萃之辈会让你如鱼得水。不要试图牺牲自己的优秀和理念来换取廉价的友谊。多数不总是代表未来，盲从是青春期的弱点。

Kate 容易把我的慷慨陈词当成真理。是的，我从来不让真理朴素出场。真理应该穿上美丽的外衣，打动感情。

我很喜欢 Kate 的朋友，她们都是非常善良和美丽的女孩。朱迪长得非常漂亮，是市游泳队的，每天下班后我去游泳，朱迪刚刚结束训练，我们都会在池边打个招呼。她爸爸开了个卖计算机的公司，哥哥从小喜欢投资股票，才大学二年级就积累了上百万美元。爸爸告诉朱迪，如果她能够挣到五千块钱，剩余的大学费用就由家里支付。朱迪假期在餐馆打工，平时做救生员，已经快挣到五千块了。

妮科尔是个胖胖的女生，常去朱迪家，朱迪父母把妮科尔当成了自己的女儿，她和朱迪要去同一所大学，朱迪的哥哥为照顾她们，决定继续在那所大学里读研究生，好照顾两个妹妹。我问女儿，妮科尔会不会嫁给朱迪的哥哥？她说，妮科尔已经有男朋友了，是同一个教堂的。

雅柔是个素食主义加动物权利者，靠海边住，客厅的窗外就是滩地，有一只小船拴在那里，爸爸妈妈靠做艺术蜡烛维生。他们家一年到头开车去赶一个一个的市场集会，销售蜡烛。雅柔长得有一米七几，身材特别好，被西雅图的模特儿公司选上训练，她最后还是选择了去了一所私立大学，而

不是立刻去做模特儿。

　　凯蒂的妈妈是个职业游说家，替利益集团游说政客。凯蒂跟女儿是从小学开始的朋友，一直到今天都很好。女儿说，凯蒂理解她。记得她俩小学时常在一起游泳，有一次我为两位小姐表演跳水，入水的角度陡，水深不够，鼻子在池底擦破了皮。

　　许多女孩在高中就有男朋友了，Kate 没有。有人问Kate，为什么你没有男朋友？她说男生不喜欢我吧。有一个原因她不愿意说出来，那就是她给我讲的：高中男生太幼稚。我告诉她，到了大学可要约会男朋友，要找高年级的，他们知道怎样心疼小女生。

　　真的，过去的好友在高中与 Kate 渐行渐远，一个主要原因是她的人生目标与她们不一样，她定下了追求卓越的目标，并且愿意为此付出努力，而她的许多高中同学选择轻松人生，变化并不一定毁掉友谊，缺乏包容才使今朝密友成为明日黄花。

　　美国的中学很重视音体美教育。Kate 原来的初中只有两个年级，不到一千学生，就有两个交响乐队，两个行进乐队，两个合唱团，表演得还像模像样。音乐家谭盾曾经去洛杉矶的一所高中，听乐队演奏他的一个曲子，事后对一位朋友讲，他非常感动，没想到一个高中乐队能把这种难度的曲子演奏得这么好。

　　女儿实在是……没有……音乐才气。送她学钢琴，只是增加一点修养；送她去学小提琴，是培养她的毅力。小提琴是乐器中最不容易取得进展的，最需要毅力的，Kate 几次因为功课忙想退出青年交响乐队，我都劝她坚持。我相信：一个人要做成一点事，需要聪明，工作努力以及坚持。很多聪明而又努力的人就是没有坚持到最后胜利。她的小提琴坚持

下来了，我也坚持下来了（听她在家练习小提琴更需要毅力）。

我和女儿一样，虽然热爱音乐体育，但我们都没有才气。我从来没有被选上任何一个体育代表队，连班级队都没有，我做的最高体育职务是在大学运动会时担任了一天的检录员，我至今还没有忘记那一个艳阳天。没有才气的女儿比我幸运一些，因为无论学生玩得多么臭，在美国中学总可以被收容到一个体育队或音乐团里，滥竽充数的南郭小姐们不是为了表演，而是为了提高。"参与"才有教育，体育和音乐不只是为学校增光。

记得钢琴老师送给 Kate 的一句亨利·戴克的话："如果只有最好听的鸟儿才唱歌，树林将会太寂寞。"（The woods would be very silent if no birds sang except those that sang best.）

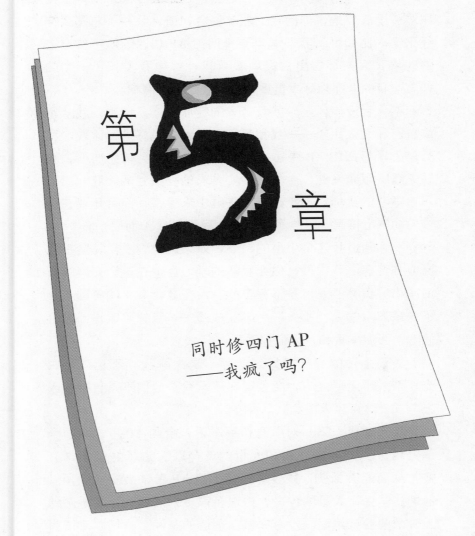

第5章

同时修四门 AP
——我疯了吗?

成长1+1
Confessions of an American Nerd

　　我这个人特理智，从不掺和那些迷信、威胁和非理性的事。我不会听到乌鸦叫就吓昏过去，也不会在演讲前紧张得尿湿裤子。但是，你问我的朋友就会知道，我并不总那么神经正常。比如说，我一学年要修四门 AP 功课的风声传出去的时候，大家都古里古怪地看着我，好像我多长了一个脑袋。连我的老师都疑虑重重，觉得我是不是有病。

　　不，我没病，至少就我个人的标准而言。你看，我从不拿自己和别人比较——我和我所能做到的最好进行比较。我有信心学好四门 AP 课程，才不管别人说我会神经崩溃，会缺乏睡眠眼睛发红，会失去多姿多彩的社交生活。我一门心思追求我的目标。不止是要在夹缝中求生存，而且还要在每一门功课上得第一（除了微积分，我只想拿 A 而已）。

　　没人知道我这个小小的野心，如果被他们发现，会把我当成神经病。我说过，你死我活的学习竞争在这个安静的西海岸小城奥林匹亚市是不存在的。大多数西海岸的美国人并不像东海岸的人们那么在乎学业成绩——我想可能是因为气候吧，西海岸暖和，人们都爱玩。

　　学校生活的开局挺好。老师不是大恶人，不会口吐白光，杀人于无形之中，至少现在还没有。他们不是直接教人去考试，这点让人很高兴。

　　我来解释一下。对所有科目来说，全国 AP 考试由两个部分组成：开放性题目和大量的选择题。为了显示教学有方，从而能够加薪，很多老师会围绕 AP 考试来安排教学。他们让学生写大量的作文，做很多很多的测试题，老是在课上讲一些应试策略。没有探索、创造的空间。一切以考试为中心。太太太太烦了。

　　幸亏我的 AP 老师鼓励我们用一种独特而富于挑战性的方法来掌握学科，而不是变成书呆子。真是老天保佑。

52

老师不强调考试，但还是巧妙地磨炼了我的应试技巧。学习英语的时候，我们写了几篇规范文章，然后阅读各种各样的美国文学。这种文章不完全像八股文，它们要求成熟的见解和富有创造力的表达。每次读完书后，我们选择自己喜欢的题目，围绕这个主题铺陈开来，举出例证，给出自己的见解，写二至三页的文章。斯诺德格拉斯先生酷爱我的作文，每次都给我最高分。

想知道我的秘密吗？那就是：不要等到最后一刻才把一些边角料拼凑在一起，大多数人都这么做，所以他们的成绩一塌糊涂。我把"拖拉"这个词从人生辞典里挖掉了，对所有课程都这样。我总是温习好几遍生物课程；回家以后第一件事就是做微积分作业；也不会在历史考试前夜慌慌张张地临时抱佛脚。

就这样，我总是在晚上 11 点以前就把家庭作业全部做完了，这让很多拖拉鬼感到不可思议。懒惰害了他们，让他们一直拖到凌晨 3 点还忙个不停。不用说，我超人一等，这种感觉很爽。

AP 课程有一点很讨厌：繁重的阅读搞坏了我的视力。AP 的生物没什么，就是拼命地阅读和测验。那本书是斯坦福大学的生物教材，将近一千页，有 5 磅那么重！AP 历史书轻一点，但还是很长。还好编书人都会或多或少地留点笑话，这一点让我不至于昏昏欲睡。美国课本最棒的就是大多数作者都很有幽默感，尤其是深夜，教科书开始在眼前变得模糊的时候，这一点太重要了。

但我还是经常犯困，蓦地惊醒的时候才发现，口水已经流到课本上了。我还经常把书弄残了，因为我喜欢在埋头看书的时候吃东西。有一次，我一边洗澡一边看历史课本，突然电话响了，我吓了一跳，一个不小心把书打翻在我的玫瑰

泡泡浴里。唉，如果仔细看我的生物书，你会发现意大利面条和花生酱的遗迹。幸亏我不用赔偿课本，因为每本课本标价100美元呢。美国学校最伟大的一点就是学生用不着买课本或参考书，学校会提供。

春天，5月的全国AP考试临近了，老师们开始变得神经兮兮。他们堆给我们狂多家庭作业，拉来成吨的练习题。这些练习太恐怖了！第一次做完英文多项选择以后，我简直不能相信：只做对了10%，10%！我可是习惯了在每个考试里都拿A的啊，我都快晕倒了。我的AP作文练习成绩也发下来了，我只拿了4分，满分9分，还不到全国平均成绩！想想我可怜的父母，他们要为每门考试费付出80美元血汗钱。我一定得考好一点！这简直是一定的！

问题是，AP考试太难了，要想全部答对根本不可能。就说多项选择，做对50%是3分，做对70%是4分，80%是5分。自由发挥题目不一而足，但是没有一个人能做对90%。假设你真的做对了90%，你会收到一个特别通知，说你得了高分6分。但是正如我说过，就是机灵鬼比尔·盖茨也拿不到那么多分。所以怎样才能通过考试，不浪费了考试费？

（没想到吧，我是个小气鬼——不信去问我的父母和朋友。）

第一，我要准备复习资料。是呀，我得去杰夫·贝索斯最爱的亚马逊网上书店买书（这位亚马逊网站的老板特好玩！）。在那儿，我把《怎样准备AP生物》等书点击到我的书筐里。

第二，研究应试策略，猜一猜哪些题型会出现在试卷上。那些策略和SAT的大同小异，除了考试的限时不同。当然有时间限制，毫无疑问。每个考试3个小时，分成几个时段分别做多项选择和自由发挥。相当于考四次SAT的时间啊! 脑子都快考傻了。

话说回来, 押题很好玩。老师把最近 20 年自由发挥的问题都编辑起来, 然后预测今年会出什么题目。比如说, 如果去年已经出过关于人类繁殖的题目, 今年就不会再出了。

最后, 抓住阅卷者的心理。是的, 阅卷的也是大活人, 不是机器。可怜的老师们要牺牲掉暑假最棒的两个星期去阅卷, 尽管会获得一些酬劳, 但这种生活仍然是非人的。因此, 朋友们认为, 如果他们的作文有新意, 能让老师们眼前一亮, 肯定能拿高分。我想, 如果你是一个老师, 一天之内看了几百篇作文试卷, 你不想看到一些幽默吗? 看了 50 篇试图表达嗅觉奇妙性的作文 (真的, 有一篇作文样本的主题就是关于嗅觉), 你不想看看一篇猴子怎么晃悠进鳄鱼嘴里去的文章吗? 开个玩笑, 但就是这个意思。想像力和独创性毫无疑问能加分。

我的微积分老师真是做到家了, 就在考试前, 她组织了一次微积分露营! 我们的小班集资, 买了野营的食物和用品, 开车 3 个小时到圣胡安岛 (一个夏日度假圣地), 要在这么带劲的两天里不停地做微积分、微积分、微积分。可惜, 老天爷不给面子, 赐给我们一场暴雨, 所以整个露营更像一场没完没了的煎熬, 我们躲在帐篷里裹着睡袋, 算着桔子汁从瓶嘴里流出来的速度。

我喜欢露营, 但是连续两天温度低达华氏 40°, 吃潮湿的薄饼, 穿着 100 层的衣服躺在床上, 可不那么轻松好玩。还好, 天气这么可怕, 也没法做微积分, 我们开车绕洛佩兹岛转了一圈, 被寒冷的浪花淋成了冰棍——这个乏味沉闷的小镇。两天时间, 我都顾不上梳头, 头发被风吹得乱七八糟。回到家的时候, 就像被霜打了的茄子。我赶紧跳进浴盆里泡了一个小时, 再钻到被窝里, 然后, 梦到我的 AP 微积

分没有考好。

有意思的是，越是临近考试，我越放松，没有一点压力。还记得吗，我曾说过我要做第一名？真的，不吹牛，看看那些张贴出来的生物、英语和历史测验成绩，总是那个学号在最上面。好成绩让我越来越胸有成竹，但是，班级的名次不能保证全国统考的 AP 成绩。没有什么能保证 AP 成绩。即使你准备得超级好，比诸葛亮还要神机妙算 100 倍，但是谁能算到全国统考那天会发生什么，测试中会出现什么，感觉又会怎么样呢？

四门 AP 考试要分别在两个星期内考完。我的第一场是微积分，在学校对面的教堂进行。那天，老师送我们百吉饼和高能糖，要给我们加足马力。

多项选择非常简单，但是很多问答题都没做。这可不是好苗头。

第二场是英语。这个特有意思。考试从早上 8 点准时开始。但是，10 点都过了，一个男孩还没有来。如果他错过了考试，就不能重考了。每个人都替他紧张，像热锅上的蚂蚁一样，坐立不安地看着钟。终于，他跌跌撞撞地来了，像个醉鬼一样，醉眼惺忪。如果当时你能看到他那样子就好了。我想那天对他来说不太妙，刚考完试，他就开车撞上了我朋友爸爸心爱的小跑车。

真不好意思啊，英语太简单了，得意忘形的我完全离了题，说着说着就开始拽克林顿和莱温斯基的那事儿（不要问我）。历史更轻松，生物是小菜一碟。所以你可以说，我对所有科目都十拿九稳，也许除了微积分。太有把握了，我根本就忘了分数通知这茬儿。

分数出来的时候，我在中国。那天早上，我洗完澡出来，爸爸从美国打电话给我。我还裹着浴巾，水珠不停地滴

56

到八姨家的木地板上。爸爸告诉我成绩，我欢呼一声，所有的都是 5 分！320 块考试钱真是没白花！我真想立刻告诉所有的 AP 老师们。

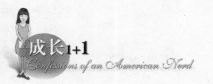

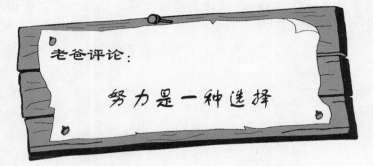

老爸评论：

努力是一种选择

美国教育有个特点，越往上面走越紧张，小学最松，常常连作业都没有，从家里拿一个东西到学校去"show and tell"（看看讲讲）。博士最紧，全日制读博士也得四到六年。中国则相反，博士最轻松。所以，最轻松的教育途径是拿美国的高中文凭与中国的博士文凭，千万不要等到大学毕业后到美国来读研究生，这样做是两头吃苦。不过，最轻松的常常是收获最少的。

美国的高中文化给了学生偷懒和勤奋的空间。只是为了轻松毕业，高中里可以修些容易的课，譬如"陶器制作入门"、"财务与会计"，老师可是准备好了都给 A 的。

可是你要打算挑战自己，高中也提供大学水平的 AP 课程。Kate 就是在高中修完了微积分、生物、心理学等 AP 课程。这样做比较辛苦。学生要对付高中的课程考试，还要准备更困难的全国 AP 统考。

美国高中是学分制，有必修课和选修课，可以提前修完毕业。第一章提到的艾米就是 16 岁时修完了所有的学分提前毕业的。华盛顿州的高中系统有一个 Running Start 项目，高中最后两年可以免费在州内的公立大学修课，算高中学分，以后在本州的公立大学也算大学学分。有些学生就提前修许多大学的课,高中毕业后只需要读两到三年大学就拿到本科学历了。这样可以节省教育开支。

Kate 修的 AP 课程是高中提供的大学水平的课程,不是上面讲的在大学里修课。除非通过全国统考,AP 是不能直接转成大学学分的。一旦考上 4 分,就可以在全国范围内转成大学学分。能在全国 AP 考试中取得好成绩,有助于申请好大学。

但是,AP 课程是比较难的。Kate 高三时一下修了四门 AP 课程,她是她那个年级惟一这么做的人。正如 Kate 说过,这样的努力学习不是我们这个西海岸小城的文化。

一般来讲,西海岸的人没有东海岸人那么紧张;同在西海岸,华盛顿州比起加州来又慢了一拍;同在华盛顿州,西雅图人干脆把旁边的我们这个小城叫做 sleepy town(睡着了的城市)。

所以,说我们是慢中之慢也不过分。我们有美丽的太平洋海湾,周围是森林青山,冬天可以滑雪,夏天可以野营,可以钓螃蟹,捡牡蛎,市中心的港口停满了家家户户的帆船。乐趣多多,我们为什么要像冰天雪地里的东海岸人那么勤奋呢?

也不是我要求 Kate 勤奋的,即便是今天我也不会选择 Kate 的生活道路。我怀念自己无忧无虑的童年,那时父母不管我的学习,我妈妈也没有送我去学琴、学画、学体育。我的家庭作业常常是请三个姐姐帮忙的,按她们的特长分配,大姐做语文,二姐做数学,三姐写大字。这种专业化分工,一定会让独生子女们羡慕地直流口水。Kate 把我的这些中国往事讲给同学们,她们说原来你爸爸小时候这么好玩呀?

我虽然没有一个完美的成绩,却有一个轻松的童年。如

果让我重新选择，哪怕我能取得更好的成绩，我也不会放弃游戏的童年。所以，我不会强迫 Kate 去努力学习，在这根独木桥上晃来晃去。

谁知道她却自我期待较高，把自己忙得神经兮兮。孩子们的逆反心理常常让父母适得其反，强迫的父母有时带出了缺乏自觉努力的孩子，放手的父母反而让孩子对自己负责。

你看，父女之间就有不同的选择。即便是成绩比我好的 Kate，也会尊重我这个轻松人生的选择。她说："如果其他孩子像我一样，世界就太无聊了。"

努力只是一种选择，学业不是惟一成功。

虽然选择不同，我全力支持 Kate 选择了"努力"。我是她的教练与拉拉队员。

在她选修前我对 AP 一无所知。今天读到她的文章，我才第一次知道她修的是这么辛苦的课，她简直就像一个勤奋的四川孩子。是的，聪明不是四川人特有的基因，勤奋和执著才是四川的文化。

现在读 Kate 的文章，我才知道她对自己的学业表现要求很高。做父母的容易低估孩子的自觉性和勤奋，因为我们总是觉得孩子做得不够。

Kate 谈到她从不等到最后一分钟才去完成作业。其实，她在小学时就是拖到最后，那时我告诉她，事情不要等到最后一分钟才做，有些人这么做，因为只有到了最后关头，他们才能兴奋起来做最好的发挥。这些人往往是聪明人。我们不能，不然为什么有"笨鸟先飞"的教导？

Kate 问："爸爸，我们是笨鸟吗？"

我回答说：无论你是否聪明，在需要努力时把自己假设为聪明人就是笨蛋的做法。

我告诉 Kate，世界上有这么多聪明人，你没法跟他们比，一个平均智力的人要把事情做得跟聪明人一样好，就得有条理。所以，先学习再休闲，至少求学时期应该如此。

Kate 有些聪明朋友，回到家后她们先闲散一会儿，打打电话，直到晚上 10 点才突然想起作业，然后一直忙到半夜，第二天起不来，上课打瞌睡。孩子的天性也许就是这样。但是，如果一个孩子能早点醒悟，有条理、有约束力、有动力地组织自己的学习，人生会大不一样。

起跑常常影响到一生的成就。

回到 AP 考试。我记得 Kate 第一场微积分考完后有点难过，说辛辛苦苦地准备没有考好，题太难了。我安慰她说，你怎么就知道没考好? 你不可能做得完美，题对你困难对其他人也都困难。你已经尽了努力，把成绩交到上帝的手里，好好地准备下一场考试吧。

生物考得也不开心，历史和语文是她的表演舞台。这样，她以为 AP 不会有好的结果，甚至会影响到她的大学申请。三个月后一天，下班了的我取到了邮件，突然看到她的 AP 考试成绩，我不敢相信，全部是 5 分，特别是微积分。天哪，她哪里是微积分 5 分的料呀! 那时她正在四川度暑假，电话打到中国是早晨，她在四川的尖叫美国都能听见。我真觉得是个奇迹，也是一个好兆头。

第6章

我怎样对付毕业班的压力

你知道吗？世界上有两种压力：积极的压力和消极的压力。前者是好的，可以激励人们竭尽全力。后一种就没必要说了，所有人都知道。在我看来，要想做成一件事，要想激发人们的斗志，压力是必不可少的。但是，我可不喜欢被压垮。

我的生物老师说，他的目标就是使我们加足动力，最大程度地发挥我们的潜能。他这么做折腾得我们就像在精神正常与错乱之间来回走钢丝。

去年整整一年，我看到我的朋友们在这种邪恶的压力下纷纷落马，他们原来冷静完整的心智分裂成了成千上万的碎片。我使尽浑身解数，避免了这个下场，居然一次也没有崩溃过，也没有中断或者放弃过我的目标。我是怎么做到这一点的？嗯，我不是科学家，但我会试着解释一下。

第一，压力的产生是和生理特点分不开的。具体来说，女性和男性处理压力的方式就不一样。男生喜欢把问题藏在心里，不愿意讲出来，生怕别人说他们是娘娘腔。他们想保持男子气，保持"硬汉"的名声，所以遇到困难掉眼泪和向别人倾诉，不在他们的考虑之列。这就是为什么男生的火气都比较大，因为慢慢地，压力会累积起来，就像牙上的牙垢一样，越积越多，直到有一天事情发展到不可收拾的地步，他们就用鞭子、用拳头发泄出这种病态的感觉（所以暴力就成为男性特有的方式）。

而女性则不同，她们更习惯于哭鼻子，向自己的朋友倾诉，把自己的压力和情绪都说出来。这样就把坏情绪驱逐出境，不至于累积到一个极点，形成火山大爆发。

我个人更喜欢女性的方式，但是很奇怪，真的做起来，我就不是那样。

我是个女孩，但不是人们想像中的那种"典型的"女孩

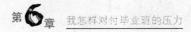

子。我非常非常内向，对于自己的心事缄口不言，几乎就像个男孩一样。我从来不告诉任何人我埋藏最深的情绪、愤怒和困扰，我更愿意把它们深藏在心里。我也知道这样不好，但我就是没办法把这些内心深处的感觉拿出来，说给别人——任何一个人——听，我的父母和好朋友也不行。当我觉得困扰和沮丧的时候，我自己解决，不要任何人的参与。也许就是因为这样，我很难和别人特别亲密。我也不知道为什么——也许还在妈妈肚子里的时候，我不小心吸入了很多雄性激素，谁知道呢？

去年是我生活中压力最大的一年。我之前已经听说了恐怖的高三，就没想过轻松舒服的日子。但是说真的，恐怖得也太过分了。SAT 考试，AP 课程，课外活动，音乐课和表演，大学申请，家庭作业。我知道肯定已经不能用以前学习的老办法。我必须得磨快我的刀，勒紧我的腰带，准备打一场艰苦卓绝、史无前例的恶仗。

我的学习神经很久没有正经用过了，都生锈了。那不怪我，是高一和高二的课程太简单了，简直手到擒来，我根本就没有认认真真地学过任何东西（除了微积分）。我告诉你吧，要擦掉脑子里的锈特别不容易，幸亏夏天在华盛顿大学的实习让我的脑子提前开始运转。在那以前，我都是要懒洋洋地窝在沙发上，假装自己是玛丽莲·梦露，吃好多巧克力，在牙里面养好多蛀虫，没完没了地看中国电视剧。无论如何，今年实在需要一个翻天覆地的变化。

开始还算马马虎虎。家庭作业是有的，但不是堆积如山。对了，解决作业压力的方法很简单——不要拖，也别怕问别人。没错，对我来说，向别人求助是最难的。我很要面子，觉得我这么出类拔萃，怎么可以去问别人呢？但是很快我就发现，这样可以节省很多时间。所以我就"不耻下问"

了。美国老师喜欢学生打破沙锅问到底，天啊，我问老师问得太多了。有些人指控说我是老师的小猫咪，但是我知道，他们就是妒忌。

我的朋友们也是我缓解压力的一个来源，她们于我心有戚戚焉，我们经常一起完成家庭作业。真是令人难以置信，大家都还是十多岁的花季少女，居然就能困在作业的牢笼里，把它们全部做完。说起来你可能不信，我们太讨厌做作业了，所以就拼了命地要赶快把作业干掉，越快越好。对我来说，不会出现拖拉的问题。我一回家，踢掉鞋，就一头栽进家庭作业，只有吃饭、锻炼、睡觉的时候才停下来。

什么什么？你说这样听起来好像是个……机器人？也许是吧，但是我觉得这样要比每天拖拖拉拉干到凌晨 3 点才去睡觉更好，保持我的身心健康比放纵性情更重要。就我个人来说，并不同情那些老嚷嚷睡眠不足的人，他们写作业之前，看了足足 5 个小时的无聊电视，而且那份作业已经布置了两个礼拜了。这还让人说什么好呢？尽管这些都处理得还不错，但是随着时间的流逝，我发现了一个问题：平衡。怎样在学习生活、社交生活（是的，我这个书呆子也有社交生活）和课外活动之间取得一个平衡？学校生活当然不是我生活的全部，因为我还有中文学校的学习、管弦乐队的活动、钢琴、绘画、医院义工、各种俱乐部、SAT 考试，还有我的朋友们，他们也需要我这个朋友是一个有血有肉、有喜怒哀乐的人，而不是机器。

一天只有 24 个小时，我已经把星期天也赔进去了，这可是极限了，我不想在这么残酷的日子里把睡眠时间也牺牲了。我惟一可做的是把周末睡眠每晚 10 小时减到 8 小时，这多出来的珍贵的 4 个小时，让我可以做完家庭作业，参加各

种活动。

　　我当然没办法每周看两场电影，逛商场，煲电话粥直煲到 50 个小时，但是这些小小的享受和成绩的回报比起来，太微不足道了。差点忘了，这样我还能替我父母节省了好几百美元。就我自己来说，也不喜欢逛商店，一年不进商场的门也无所谓。我相信只要我能保持一个清晰的目标，履行一个严格的计划，就能避免拖拉带来的压力。

　　说到计划，告诉你，我可是计划女王哦。爸爸说这是他的遗传，但是我觉得我比他强多了（嘘，别让他听到了）。我喜欢把所有要做的事情都列一个清单，比如说，每天上床睡觉之前，我把明天要做的事情都列出来，甚至包括早餐和午餐的食谱，怕我万一忘了（我有好几次忘记吃饭，我爸妈都快气死了）。我按照要做的事情，把时间分成小块，然后把计划记在脑子里，剩下的事情就是坚持执行了。

　　听起来好像很傻很无聊，但是可以让我的生活持续有效地运转。我没有借口逃过历史作业，因为白纸黑字写得清清楚楚："7：00～7：30，历史"。这张纸就是我的老板，并且，我也是个好员工。我们合作愉快。

　　当然了，事事不会都那么顺心如意，总会有意料不到的事情发生。压力就像一个邪恶的大怪物，总是打败了我，即使只是略胜一筹。想知道我被压力打败是什么样子的吗？我警告你啊，前面讲到的我都是一个洁白无瑕的人，如果你想保持这种印象，最好重新掂量一下你的好奇心，要不要继续读下去？因为后面的文字会破坏这个形象——当压力来临的时候，我是世界上最可怕的人。

　　说起来，我的脾气很恐怖。我不能忍受愚蠢的人，处理问题也没有灵活性。这样的性格当然非常非常坏，我已经在努力改正啦。当感觉到压力的时候，我会向每个人发泄。这

时候如果你轻轻戳我一下，我就会"砰"地跳起来老高。

当然了，我在学校可以避免和人说话，急眼了瞪别人一下，不让火气发出来，控制得挺好。但是一回到家，我就是个大魔头。如果我碰到一道很难的数学题，怎么也解不出来，这时候我就会在我的房间扔书，扔枕头，扔布娃娃，甚至扔吃的，捶胸顿足，就像一个神经病。我重重地合上书。我趴在枕头上哭。这么发泄一番，就会让我的感觉轻松多了。

如果把压力看做毒药，那么尖叫就像解药。

虽然我讨厌像一个疯女人一样，但是对保持我的心理正常来说，这很有必要。这是我最大的矛盾之处，但是也是最有效的方法之一。我的父母从来没看见过我这样，他们也永远不会看到。因为面对别人的时候，我有足够的控制力。真怕有一天，有人看到了我这个样子，会把我送到精神病院去，所以我已经在尽力改进自己的解压方式。

糟了，你一定会想，这太恐怖了！是是是，一点都不让人愉快，但是我还有不那么吓人的减压的办法。通常，我只是"哗啦哗啦"地打开书，啃啃苹果，偎在大枕头上……迷失在一个想像的世界里能够使我的精神得到极大的抚慰。或者，我在浴盆里泡一个小时的香喷喷的热水澡，看一本最喜欢的小说。

那是我从一堆责任中解脱出来，进入到孤独而迷人的阅读世界。

我有另外一大乐趣：做饭。如果你认识我妈妈，她肯定会跟你抱怨说，我霸占了厨房。嗯，这可能是真的。我有一大堆香料、调味品、沙司和一大摞烹调书。信吗？我还有一群忠实的 fans（追随者）。菜刀"嚓嚓嚓"地切下去，切断蔬菜，也把我的坏心情都切掉了。我喜欢那些从烤箱里飘出

来的面包香味，让我全身心平静下来。我此刻感到一种单纯的美妙。

最后一种放松方法是锻炼。自从我爸爸决定要在体育馆锻炼、避免中年发福以后，我们家就变成了健美之家。每天工作、学习结束以后，我和爸爸就去体育馆，爸爸游泳，我去练肌肉和跑步。

锻炼就像巧克力，会增加复合胺——一种可以增加快乐和松弛的化合物。说起来可能有点好笑，我踩在自行车上的时候，经常有这样一种感觉：我可以征服全世界。这真是价廉物美的返老还童药啊。

不是每个人都会靠做饭、读书、泡澡或者锻炼来放松。所以你要跳出身体，像个外人一样观察自己，询问自己，从而选择一种方式来对付压力。你喜欢什么？什么能让你快乐？如果你喜欢打电子游戏，就一定要想方设法抽出时间让自己沉浸在其中。

就像一个成功的节食也会包括一点点的肥食，有肉有甜点。学习生活也要包括一定的放任，这是处理压力所必须的。如果你完全禁止了自己的兴趣，每天神经都绷得很紧，那种被剥夺感会通过一种负面的形式来伤害你。健康总归是比学习更重要的。如果你已经耗尽精力，濒于生病的边缘，学习成绩好又有什么用？万事都有个度，必须要找到这个度。相信我，在学业优秀和身心健康之间，有一个平衡点。请倾听自己的内心。

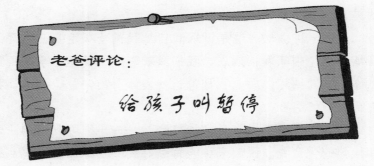

老爸评论：

给孩子叫暂停

在高四开学的时候，我去参加 Kate 高中的 open house。生物老师说，Kate 学习太紧张，她需要放松。的确，在高三那年，我发现 Kate 不仅忙，而且脾气也不好。

美国高三是学生最忙的时候，因为要考 SAT，为上大学的简历做最后冲刺，加上 Kate 修了四门 AP（Kate 学校同年级的人没有修两门以上 AP 的），更是雪上加霜了。她回到家时不爱讲话，吃完饭就做作业，一点小事就很冲动，几次因为作业太重而哭起来。

也许她在学校里装得像没事一样，回到家里就原形毕露。常常跟我一句话不对就赌气，我此时会问她，你怎么能够跟同学和谐相处呢？我真的不希望她生活在能把人变成畸形的压力之下，哪怕是很短的时间。没有回报能够弥补人性的损失，能够弥补错过的亲情和友谊的享受。

Kate 是一个内向的人，有太多的心事不讲出来，怕别人说自己不够坚强。也许是我教育的结果，我从小教育她要坚强，自己处理难题。譬如她在学步的时候，因为害怕而扶着凳子大哭，我会不动声色地看着，要她自己走过来。因为我从来是自己照顾自己，并且照顾我的家人。

所以，她把压力独自承担起来，也不轻易寻求我的帮

助。整个高中就问了我一次数学、一次化学、一次物理的作业问题。因为她最怕我说她没有尽力而是依靠他人。

压力不能超过孩子的承受能力，否则人格和精神健康都会被伤害。直到今天读到她的文章之前，我并不了解 Kate 面临的压力有多大，所以没有做什么来减轻她的压力。其实当初应该劝她少修一点困难的课，她的生活会轻松得多。

常常我会叹息，为什么新的一代如此辛苦，我却是在轻松下度过了少年时代。这种叹息常常能在美国听见。

因为新一代面临着更为艰苦的竞争和更高的期待。现代媒体让我们知道了比尔·盖茨和迈克尔·乔丹的故事，让我们知道了 IT 行业一夜暴富的炼金术士，流行歌手一曲万金的身价，姚明在 NBA 巨大的美元收入和到处可见的玉照，公司老总们的天文数字般的年薪与股票期权。

还有网球张德培、花样滑冰关颖珊、演员刘玉玲、作家谭恩美、主持人宗毓华等等。这些华裔骄子们天天在电视上以身作则。在巨大成功的感召下，父母们决心不让孩子们在一个奇迹的时代落在后面。知识就是改变命运的力量。

于是，孩子在母胎时，父母就听到了起跑的枪声，母亲就被建议要多听音乐，以增加胎儿智力；及到出生，摇篮上挂的不是奶奶给孙儿的长命锁和布制玩意儿，而是各种声光颜色形状的智力玩具。父母们下定决心：富起来的家庭要代代相传，贫穷的家庭要一代挖掉穷根。

是呀，马克思说，罗马的奴隶是用铁链拴住的，资本主义的奴隶是用工资拴住的。美国的父母们盼望孩子能够打碎锁链，成为一个 financially independent（财务自由）的人，不为生计而工作的人。在这场奋斗中孩子失去的只是锁链，得到的是自由世界。

人们付出成百上千的美元获取专业面试辅导，只是为了

孩子能够顺利通过面试被私立幼儿园选上。还有学前班呢，小学呢，初中呢，高中呢？还有那最后决定命运的名牌大学呢？给孩子做教育咨询成了美国的一大产业。有的咨询公司宣称：可以为你的孩子进入名牌大学保驾护航，从九年级开始策略设计，优惠收费三万美元。

还有私立中小学的学费呢？以及名牌私立大学高达每年四万美元以上的费用（税后收入）。

父母与孩子一起奋斗，每一步都不能落下，名牌从幼儿园开始，从保姆开始。世风之下，大江东去，即便一开始不强迫孩子的父母，最终也卷入升学的百舸争流。要孩子学音乐，学美术，学体育，不仅是为了修养，而且是为了名次，为了名牌大学及其奖学金。

修 AP 课程，竞选学生领导，参加暑期昂贵的各种夏令营，请每小时几百美元的老师辅导考 SAT，大把金钱，无休止的奋斗，孩子们能不发疯地活下来就比老一代的我们更为坚强。

压力总是要有出口，吸毒、酗酒、吸烟成为优等生的爱好。Kate 的一个有着完美表现的同学进了父母期待的名牌大学，带着他父母不知道的吸毒成瘾。你真的希望孩子靠着毒品去达到你的期待吗？

老套的父母以为孩子是压不垮的。前美国总统吉米·卡特的老爸总是这样讲：没有人是累死的，只有闲死的。社会进步到了今天，我们有了科学常识，了解孩子的精神与体力极限，不会像卡特的老爸那样愚昧无知。

现在美国有一批叫"burned out"（烧焦）的人。我有个邻居是台湾人，女儿从芝加哥大学毕业了，他说孩子被burned out 了：不想工作，不约会，不想跟人打交道，每天待在家里跟狗玩。这个女孩过了一年才缓过神来。在美国大城

市中，有心理医生是白领们与时俱进的标识之一。

Kate 说艾米在 MIT 感觉不好，压力超过了她的承受能力。我问 Kate，是因为学习跟不上那些天才般的男生吗？Kate 说，不，艾米在 MIT 仍然是修课全班第一。

必须要给孩子叫暂停。譬如要让孩子有真正的暑假。我最讨厌暑假还要做许多作业，我小时候曾把少得可怜的一点暑假作业，交由我三姐承包完成。因此，我从来不在暑假给 Kate 任何学习任务，也不送她去辛苦的夏令营。每两年 Kate 回一趟中国四川，任务就是吃吃喝喝。她不回中国时，暑假每天一直睡到中午，下午就晒晒太阳，看看小说，约同学看电影，游泳，开 Party。每当暑假结束时，Kate 都完全恢复到了一个新人，不再像期末时那样像一只动不动就毛发倒竖的小狗。

当然，Kate 喜欢阅读，做菜，绘画，这些也在学期中让她有轻松时间。做事并不是最累人，心中放不下事情就有压力。学会计划可以减轻压力，把第二天要做的事情写在条子上，做一件划掉一件，心里不用太挂念各种事情，第二天就可以过得坦然一些。

Kate 有个问题，她试图把每件事情都做得尽量好，这样生活就太累了。我告诉她，不必把生活中每件小事都做得很完美，把重要的事情首先做了，对小事应付了事。你不可能让每个人都高兴，"要求"造成压力，要学会对"要求"说"不"，要学会推卸不重要的事情，要学会"得过且过"。

少年人不知天高地厚，为理想状态竭尽全力。其实一个人的力量有限，要学会接受一个不完美的过程和结果，要学会与不理想状态妥协，否则会被自己压垮。人要有点屈从命运，才会多些放松，才会有效地影响命运。

新的一代生活在一个变化更快的时代，她们的生活节奏

要比上一代快。适当放松会有莫大好处。我就希望 Kate 能在大学毕业后休息一段时间，到中国的大学去学学中文，吃吃喝喝，从一个不同的文化中理解生活，增加智慧而不只是知识。

　　时代的火车正在加速，知识正在爆炸，老照片上的大学毕业像已经发黄，终生学习成为一种必须的生活方式。新一代面对的不是百米短跑，而是马拉松似的终生竞争，不学会放松就会被压力提前烧焦。

第七章

苦尽甘来
——学校也很有意思

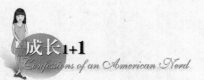

如果你已经克服了对美国学校无忧无虑生活的嫉妒心理，读到下面这些也许又会气得抓狂。本人在此严正警告：阅读下文，必须自负其责，如果你妒忌得忍无可忍，导致心脏病发作，我可负不了责任。

中国人看美国学校，大概不像看一个学习机构，更像看火星上的事情。两个国家的学校生活是完全不同的。

我们高中有固定的学习时间，早上 8 点到下午 2 点半，超出这个时间还把学生留在学校里是非法的，除非学生自己愿意，或者犯了滔天大罪。周末我们从来不上学。不仅如此，去年，每个星期二我们都迟开课半个小时（今年推迟一个半小时）。

怎么会这样呢？well，这是因为对美国学校来说，课外活动非常重要，大学录取时要看学生花了多少精力去参加课外活动（大多数学校不想要只会学习的书呆子），所以我们有很多社团。高三以前，我是好几个社团的活跃分子，但是 AP 课程和 SAT 考试熬干了我高三的时间，所以我决定，等 AP 考试结束后再回到社团重整旗鼓。

学校里到底有什么社团呢？有社区服务协会、商务俱乐部、外语俱乐部、戏剧社、动物保护协会，诸如此类。甚至还有牛肉社，他们整天做的事情就是讨论什么是吃牛肉的最好方法，然后在野餐时吃掉小山一样多的牛肉。很明显，我这个动物权利保护者跟肉类俱乐部一点都不搭界。

说句真话，我太明白有些社团了，好多人只不过想在大学申请的时候，加一个筹码，所以，许多社团里没有真正的热情，只有渴望权力的人们。是不是说得太直白了？但这是真的。

我很明智地参加了招待社（Ushers' Club）、根与芽动物保护社（Roots and Shoots Animal Activists Club）和全国优

秀学生俱乐部（National Honor Society）。招待社素来以"炙手可热"闻名，想参加的人把门槛都踩破了，所以我也不知道他们怎么会选中我。也许他们也需要几个书呆子来平衡一下比例吧。

根与芽动物保护社实际上是我的好朋友雅柔逼我去的，她是一个坚持素食主义的嬉皮士，也是一个毫不称职的俱乐部主席。我在那里面帮她组织活动，执行社务。

我跑一下题谈谈雅柔吧，因为她是我朋友里面最好玩的一个了。她的父母都毕业于常青州立大学（Evergreen State College），这所学校是全美有名的嬉皮风格的学校。他们都是素食主义者，从来不吃肉，不喝奶，不吃任何伤害动物的食物。但是，你一定想不到，他们家的饭太好吃了！并不是像大家想像的那样，吃寡淡无味的兔子食品。

雅柔的父母是蜡烛生产商。他们在家里教育雅柔，直到她完成初中。雅柔是个极端的自由主义者，极端个性主义，极端慷慨，心胸极端开放。她不但不理会既定的习俗，还故意破坏它们。她长得非常漂亮，有着雕像一样鲜明的轮廓，机智、活泼，可爱得几乎能称得上是完美了。但是，她真是一个非常糟糕的领导。

现在言归正传，每个 GPA 在 3.5 分以上的人都可以进全国优秀学生社，毫无优秀可言。撇开这个不说，我们是该社有史以来最乏味的一届——没有社员愿意按要求做四次社区服务工作，社团指导老师卡尔森太太就是原因之一，她太没劲了。

但是我自己，是 AP 考试扰乱了我的计划，社里要求的一学年做四份社区服务，最后一个月我还有三次服务没做，所以我就耍了滑头，付了 5 块钱会费，来抵一次服务。别拿砖头砸我啊！

考完 AP 以后我加入了池塘计划。校园里有一个荣誉排水沟，也叫新生池塘，之所以这么叫是因为我们有一个传统，要把那些可怜的小新生丢进去。可惜现在禁止这样做了，因为我想起了几个人，可以把他们丢进去，嘻嘻。

好吧，说正题，这个计划这次是这样的。野草莓的枝条横七竖八，长得遍地都是。我们要把所有的野草莓都拔出来，然后种上树，播上草籽。看起来平淡无奇，也很简单。没有的事儿！我第一次去的时候傻乎乎地穿着短裤，腿被荆棘刮破了，直滴出血来。

这个活动一点儿也不优雅，不迷人，但是很奇怪，我喜欢汗水流在脸上的感觉，喜欢战胜野草莓的快意，这也是一种胜利，虽然是好小的胜利。虽然到最后我总是累得要死，但是我觉得充实，满足，无忧无虑，好像我的负面情绪都已经转移到了黑莓上面。

现在课业大大地减轻了。AP 课程就像是泻药，老师后来也觉得精神透支，小腿抽筋了。我们"滋滋"作响的脑细胞哀求着，想从没完没了的练习里摆脱出来，他们被批准了。话是这么说，学微积分就没办法真正放松。学生物、历史和英语的时候，我们就"丁咣丁咣"，很轻松地过去了，就是这样。

生物没什么，就是看电影，吃爆米花，选择自己要研究的题目。我选择的是血友病——被维多利亚女王搞得声名狼藉的皇家病。你绝对猜不到我发现了什么：她的父亲没有携带血友病基因，她母亲也没有，所以要么是她父亲的精子发生了变异（只有万分之一的可能），要么她就是私生女。我不想诽谤她的名誉，但是如果整个皇室家庭都是出自私生女，你说会不会有点诡异？不止这样，半个欧洲都是，因为皇室联姻使维多利亚女王的子孙遍布了半个欧洲的皇室。你甚至可以把俄国十月革命联系到维多利亚女王身上，因为她那伟大的孙子亚历山大有血友病，所以他的父母必须依赖坏修道士拉斯普廷，他的干政导致了大规模的叛乱、腐败，很大程度上，也导致了战争和革命。

历史真是迷人，对不对？

经过一个学期的学习，英语要在期末作业里见分晓了。说起来实在简单——读一本书，就这本书写一份有创造性的陈述报告。我的报告很好玩，我穿了四层衣服，从日本和服，印度沙丽，中国旗袍，到短小的夏日服装。交报告的时候，我把它们一层层脱下来，每个人都在大笑，因为我看起来好像在跳脱衣舞。有些人后来说，她们怕我真的脱光！从那以后，大概她们觉得我并不是那么书呆子气十足了。

6月，课业负担明显减少了。显而易见，懒惰的空气渗透进了每一个班级。当然，还有期终考试，拜它们所赐，我们才没有那么多家庭作业。

最后几个星期，我们开始了送别毕业生的传统活动。最先到来的是颁奖大会。即使我们学校没有真正的学术竞争，但还是喜欢公开表彰那些致力于把他们的脑细胞贡献给功课的学生们。不幸的是，大会是强制性的，所以每个人都必须钉在体育馆内，熬过漫长的两个半小时，等着颁发一项项奖牌，奖学金，表彰。

通常，我都目光呆滞，眼神空虚，看上去像个大烟鬼。这次我有很多毕业班的朋友，要不时地留心一下谁上台领奖，否则我就完全走神了。想想我们学校的没有竞争的氛围，居然还有一群聪明人。杰夫·温皮得了国家奖学金。我的朋友艾米·李获得了美国高中生的最高荣誉——总统学者奖，这个奖全美只有141个名额。

在所有的奖励里面，只有两个奖是给高三学生的：一个

是数学优胜者，另一个是颁给数学和自然科学方面最突出的学生。为此，自然科学的老师每年要聚在一起，提名候选人。

早些时候，数学老师说有人推荐我，但是我完全忘了这回事。所以你可以想像，当我听到我获得了伦塞勒数学及科学奖（Rensselaer Medal for Mathematics and Science）的时候有多震惊，我腿都站不直了。因为第一，我从来没想过会得这个奖；第二，如果早知道会得奖，我就穿一件好点的衣服，让自己看上去魅力四射（那时候我太困太累了，半死不活的）。

虽然如此，那一刻还是太棒了，所有人都为我鼓掌。1 600 多双手，为我掌声齐鸣，为我这个小书呆子！我感觉到胜利、荣耀，感觉到付出的努力被认可，还觉得有点战战兢兢。简直就像好莱坞电影一样，我走上台，毫无疑问，要发表获奖演说。光芒四射的 15 分钟。

颁奖结束后，开始了班级位置转换仪式。毕业班退场，我们高三班代替了他们的位置，高二和高一的学生也移动到了他们的新位置，新生的位置空着，等待着第二年的初中毕业生来补充。

接着是"slamfest"——每年一度的学校年鉴签名购买活动。人们争着抢着掏出 36 块钱，买记录学校 2001~2002 年历史的精装本年鉴。你相信吗？我们有一个班级整整一年都在编这本书！即使这样，书里还是有很多拼写错误。（比如说，把"ice cream"拼成"ice creme"，这样的错误实在太让人悲哀了。）

话又说回来，我敢打赌我是惟一一个抱怨拼写的人，因为那是我的癖好。我会毫不犹豫地纠正任何人的拼写错误，甚至是成年人的。我甚至会纠正特丽莎修女和圣雄甘地的错误。愿上帝宽恕他们。

这些都结束了以后，学校就没什么意思了——随后我参加"女生之邦"离校整整一个星期，再回来的时候，所有的毕业班都走了，学校看起来空荡荡的。悠闲自在的日子里，没有嗡嗡作响的演讲，阳光洒在每一个角落。啊，夏天到了！

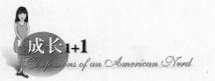

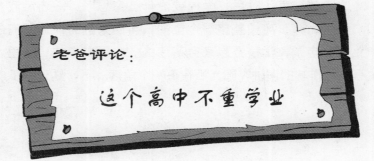

老爸评论：

这个高中不重学业

　　最近一项研究发现，到了美国高中的外国学生认为，美国的课程比较容易。亚洲学生认为美国高中的要求比较低，美国学生花在学业上的时间比较少。一些美国学生不看重智力发展。那么，高中生花时间在什么方面呢？运动和俱乐部。

　　打算和不打算上大学的高中生都喜欢运动和俱乐部，因为不想上大学的想玩玩，想上大学的希望能在大学申请表上多填上领导能力和课外才艺，增加进入好大学和拿奖学金的机会。

　　美国高中生喜欢运动，包括女生在内。似乎每个人都有一项运动特长。像 Kate 这样没有体育特长的学生不多。体育特长肯定能帮助学生拿到大学录取和运动奖学金。至于当个美式足球队长嘛，申请大学时也是光彩的一笔。所以为了帮助大家进大学，球队有时会有一群官衔供大家使用。

　　美国高中流行俱乐部文化。几个有共同兴趣的人在一起，成立一个俱乐部，请一个老师做顾问。这样的俱乐部五花八门，什么主题都有，所有你能想到的，和你想不到的，从国家大事到非洲一个小昆虫。有时几个人的俱乐部的成立就是为了取个大名字，封一群主席副主席，顶次的也可以干

个秘书。为了什么？除了兴趣还有功利，填到大学申请表上
好看。

大学当然希望学生表现课外才能，可是学习不好，当十
个俱乐部主席都没用。天下乌鸦一般黑，课外不如课内香。
一个美国花样滑冰的冠军进了哈佛，也是 SAT 考了绝对高分
才被录取的。哈佛不会因为你的课外才能降低学术标准。体
育优秀的杜克大学、斯坦福大学可以把你的肌肉换算成脑细
胞。

有的大俱乐部如全国优秀学生俱乐部是每个高中都有
的，这样的俱乐部主席身价高一些。如果你以为进去的人都
是优等生那就错了，成绩 GPA3.5 就行，高于平均水平就能
进。能把这个会员资格当 honor（荣誉）的人常常都不是优等
生。

Kate 在参加的俱乐部里是属于跑腿的。因为她是书呆
子，不受群众欢迎，很难竞选上俱乐部职位。但是她比较有
组织能力，敢于负责和决断，常常就在俱乐部里扮演着有影
响力的角色，为俱乐部领导出谋划策。

设计越战纪念碑的华裔艺术家、建筑学家林璎回忆道，
她因为学习好，在高中也是孤家寡人，她最后去了耶鲁大
学。虽然书呆子在高中不受欢迎，但是同学们都清楚，这些
人将是大学和社会的骄子。

美国的中小学有私立和公立两种。公立当然是免费的，
书本免费提供，来自低收入家庭的学生可以在学校免费吃早
餐和中餐。记得 Kate 读小学吃免费餐，还觉得高人一等，后
来才知道是家里穷才白吃。那时我在读博士，绝对的贫困。
公校的质量取决于社区好坏，昂贵的住宅区，财产税高，所
以靠税收支持的公立中小学也好一些。

私立学校要缴费，但是私立学校的教育质量高。送孩子

去私立学校的有省吃俭用的小户，也有豪门大户。盖茨家就是西雅图豪门，他老爸是大名鼎鼎的律师，他进了最好的私立学校湖滨中学（Lakeside）。不要问学费多少，如果你心脏不好的话。这个学校原来规定，必须是校友的后代才能进去。

读私校有用吗？我有个同事，嫁的是有钱人，三个孩子都是湖滨中学毕业的，两个进了达特茅斯，一个进了斯坦福，三个孩子四年大学费用就快 50 万美元。当然喽，这种投资比当年的微软原始股的回报还大。你看，有钱人就是聪明，又是马太效应（越有钱的人就越能更有钱）。

还有一种学校叫"家庭学校"（Home School）。孩子在家里读书，可以读中小学，社会承认学历。父母当老师，教材由公立学校免费提供，孩子需要考试和课外活动时就到公立学校去。这种学校现在在美国很流行，Kate 的朋友雅柔就是在家里读完初中的。许多家长不相信公立学校的老师的教学质量，这样做也可以减少孩子接触毒品和帮派的机会。

不幸的是，Kate 是一路公校读上来，幸运的是没花老爸的银子。奥林匹亚高中是 1907 年成立的，从高一到高四（相当于中国初三到高三），目前有 1 650 名学生，号称是 AAAA 级学校，既然不是五个 A，那就不是一流高中。这个公立学校声称"培养有能力的、自觉的、终生学习者，能独立思考、对世界负责的公民"。

我不知道学校是否真的能够培养"有能力的、对世界负责的学生"，但至少没有杀伤学生家庭的购买能力，也算是对家长的钱袋负责。

如果不是因为有考试，Kate 是喜欢学习和学校的那种人。她不喜欢奥林匹亚高中有其他原因：她不喜欢同学中的懒鬼。美国高中生中有一批人，想什么作业也不做，根本不想读书。他们坐在高中课堂上，是法律强迫他们坐下来，因

为不完成高中学业是违反义务教育法的。

所以，每当老师要布置作业时，就有几个捣蛋分子提出抗议，而这时多数人是随波逐流，乐得少干。老师为了不得罪学生，常常迁就落后，每次要把作业降到最低才能通过。这时 Kate 站起来批评捣蛋人，特别不合时宜，常常受到围攻。回来她会委屈地告诉我，我鼓励她"真理常常不在群众手里"、"坚持真理要不怕成为人民公敌"、"从众心态是智力丧失、意志薄弱"。

譬如 Kate 曾这样回忆英语课："同学们抱怨少得不能再少的家庭作业，他们常常尖叫，'每天居然要学六个单词'。这样的叫喊让我恶心。这可是英语快班，你应该更加努力……懒惰的学生控制了老师。我忍不住起身抗议，捣蛋的学生要我闭嘴。其他不满的学生却忍气吞声，我是惟一站出来说话的。"

美国的课堂上，老师要学生参与讨论，发言者能得到加分。Kate 事先会预习课本，常常在课堂上滔滔不绝，使得其他发言人相形见绌，断了别人的"财路"。我只好提醒她"有饭大家吃"。

她的老师也有混饭吃的那种人，对教学不负责任，或随心所欲脱离主题。所以，即便是 Kate 喜欢学习，她的高中也不能提供优秀的学习环境。她多么盼望能早一天离开高中，去跟一批书呆子在大学会合，这也是她想去好大学的原因之一，她实在不愿意呆在公立大学遇到同样一批 Party 学生。

高中的老师喜欢 Kate 这样的学生，很可惜她不喜欢这个高中。但是，她还是愿意选择公立高中，因为在这里可以接触到来自不同家庭背景的人，而私立高中如同富孩子俱乐部。

第 8 章

女生之邦
——学习爱国和制度的夏令营

　　我从来没那个野心，想要当一个政治家。我觉得一个人要想在政府里有所作为，就必须失去或者放弃太多的自我，不论是为了好事还是坏事。在任何一个国家，我们都能听说监守自盗的参议员、道德败坏的总统，诸如此类。虽然这么说，我还是觉得了解政府功能很重要，甚至是至关重要的。另外，如果你能说出来什么政策、什么人在管理着这个国家，那听起来多睿智啊！

　　小时候，爸爸给我买了一本关于美国总统的书，我把它深深地印在了心中。因为我觉得，了解自己的管理者，是作为一个好公民的首要条件。小学四年级时，我从妈妈的教授那里赢了一辆小汽车，仅仅因为我准确地说出了他出生时谁是在任总统。

　　我知道克林顿总统的外号叫"Bubba"；乔治·华盛顿镶过象牙做的假牙；约翰·肯尼迪有无数的风流逸事；威廉·塔夫特胖得发喘，不得不给他特制一个浴盆；托马斯·杰斐逊和他的小姨子（他夫人同父异母的妹妹，也是一个美丽的女奴）生了好几个孩子。我甚至把我的逸闻收集范围扩张到了第一夫人，玛丽·林肯被儿子送到了老人院；劳·胡佛会说汉语；费兰瑟·克里夫兰年纪小得可以做她丈夫的女儿了，等等，等等。

　　但是这些知识能得出什么结论呢？有什么意义呢？我能借此知道更多关于美国政府的事情吗？不能，我知道的都只是总统生活的花絮，靠这些只能在电视竞猜节目上拿奖金罢了。

　　别把我想歪了啊——我不是那种狂热的爱国主义者，会在每一次国歌响起的时候含着热泪摇国旗。反过来，这也并不意味着我是一个玩世不恭、毫无爱国情绪的无政府主义者。我只是不在这种事情上太滥情。我会为自己的政治主张大声疾呼，但是面对"爱国"之类的问题，我非常冷静，置身度外，避免感情用事。

但不管怎样，这些想法都不会阻止我全力以赴，争取参加"女生之邦"（Girl's State）夏令营——说到底还是一次爱国体验。这个活动已经举行很多年了，通过女生模仿召开立法会议，竞选产生州长、参议员、众议员和州政府官员来教给女孩子关于政府的知识（也有一个"男生之邦"，和女生是分开的）。不用说，在申请大学的时候，这会是一道亮彩。这也是我申请参加的一个原因，但是每个人都是这么想的，所以我并不算功利，对吧？

申请的过程包括面试和回答一张问卷。通常都会问 "你为什么想去"、"从这次活动中你能获得什么"、"政府为什么很重要"之类的问题。我们学校只有七个女生申请，名额有四个，竞争算不上激烈。我猜大多数女生不是被活动标榜的"强烈的爱国热情"吓跑了，就是对此毫无兴趣。我认识所有竞争对手，大多数是我 AP 课程美国历史班的同学，所以我们没有为了抢占这个位子穷追猛打，直掐得你死我活。

面试在美国退伍军人协会（American Legion）的大楼里（美国退伍军人协会的发起人全程赞助）举行，我穿了红、白、蓝色相间的衣服（国旗颜色），巧妙地表达了我对国家的热爱。这是我第一次正式的面试，有一点点紧张。但是，啊，好玩死了！三位和善的女士问我一些基本问题，基本上是爱国一类的，我用一种甜美、充满爱国激情的腔调作出回答。嗨，这么做可是有回报的，因为我被选上了！

出发的日期渐渐临近了，这次活动是我放假前的最后一个星期。不幸的是，就在这个节骨眼上，我退缩了。我跟自己解释说，我去参加女生之邦不会太好玩的，但问题是，一

开始我又为什么要起劲地争取参加资格呢？

好吧，现在打退堂鼓，太晚了。我听天由命地把裙子、立法院的手册材料、化妆品和几乎整个浴室都塞在箱子里，再加上六双鞋。后来才知道，我装少了。有的女生带了三件睡衣，很多人带了数不清的箱子，箱子里装了足足能吃一年的零食。美国女孩不管走到哪里都会带一个迷你卧室过去：卷发器、吹风机、小镊子、五种指甲油、定发型的摩丝，应有尽有。载我们的汽车停在位于 Ellensberg 的中华盛顿大学，我下车的时候，差点没吓得跌过去，我这辈子从来没有见过这么多的女孩和行李！

我们四百多个人一分为二，分到两座楼里。每一层楼被指定为一座"城市"。每个人有一个敌对党的室友（这里有两个政党，共和党和民主党，我是民主党的），共同分享连地牢都不如的宿舍。是真的，这些房间像监狱一样，墙皮都脱落了，光秃秃的，只有简单的家具，我当时居然没有马上就垂头丧气，现在想起来真是奇怪。

我这个楼层有大约 20 个女孩，加上两个顾问，一个男性也没有看到。我们的城市叫艾哈特(Earhart)，是为了纪念一位英勇的探索未知领土、结果神秘消失在海上的女飞行员阿米丽娜·艾哈特 (Amelia Earhart) 而命名的。

OK，我们城市的名字不那么吉利，但至少我的新"楼友"让人很兴奋。因为我希望有一个严肃、充满爱国激情、非常崇拜总统的模范女孩。我们这层楼有三个亚洲女孩，包括一个根本不会说汉语的华裔女孩。我本能地先接近她，跟她套近乎，却发现她和所有人一样，完全是个美国人，除了她的黄色面孔。

紧接着，我发现了一个可爱的同伴詹妮弗，一个被收养的韩国女孩，她稍微有点神经质，但是特别好玩。她不古

板，不虚伪，不做作，想到什么
说什么，直来直去。可惜，世事
总难两全，她太情绪化了，经常
不知道为什么就拂袖而去，退回
自己的房间生闷气。也许因为她
就是那种聪明、有天分但是愤世
嫉俗的人，你知道，就像所有疯
狂的天才一样。

州长骆家辉接见优秀高中生

　　那个下午，真是见了鬼了，
我没有通过立法和律师资格考
试。虽然竞选大多数的职位都不
要求这两个资格，但是只有考过这两个考试才能成为副州
长，或者是最高法院的法官。这可不是什么了不起的开始。

　　晚饭也不好。第一，菜上得奇慢；第二，一点儿也不好
吃。我不喜欢美国食物，它们寡淡无味，令人厌烦。我戳了
戳看上去皱巴巴的汉堡包，因为饿得发慌，我吃了三大包麦
片，三盘水果。我从心底里希望，这个礼拜结束的时候我不
要变成骨头架子。

　　嘴里嚼着吱吱发响的切若牌麦片，我用手指头轻轻弹着
崭新的、绿白两色的《女生之邦指南》。上面骆家辉州长
（他是州退伍军人协会主席，也是女生之邦的总指挥）严肃
的爱国格言弄得我有点紧张。如果我不能履行我的"责
任"、"成为一个全情投入的公民"怎么办？好多页的爱国
歌曲、日程安排、立法条款映入眼帘，等着我去完成它们，
回答它们。我能胜任吗？

　　第一个集会，怎么说呢？很有意思。我本来对这样的爱
国宣传秀不感冒，庄严肃穆的色彩布置，演讲者的眼中闪着
热情的火焰。

　　但是这一刻过去以后，我越来越觉得像回到了家一样自在，不是因为爱国主义，而是这种气氛。在那里，这么多女孩像我一样，被赋予权力，大胆宣告一个"女生之邦"即将诞生。听起来有些心血来潮，但是我当时意识到我们是世界的未来；我们所做的事情规定了美国的方向，规定了地球村的方向。我们不必要依赖男性。

　　那天夜里，我们很晚都没睡，一直在讨论城市建设。每个城市都被假设有了一个问题，要求大家用一个模型，直观、形象地解决这个问题。活动结束的时候，要在所有的方案里一决高下，评选出一个等级。为此，我们需要通过正式竞选产生市长和女性议员（我竞选市议员，但是失败了）。我成了一个行政长官，负责巡视高速公路，确认政策规则是否被严格遵守。

　　然后，我退休了，回去睡觉，会见我的新室友麦肯齐。她刚刚跑完一个马拉松，已经 36 小时没有睡觉了，但是还在继续工作，准备一个竞选州长的演讲。我看这个共和党人可不是块好啃的骨头，虽然从外表看来，她一点没有杀伤力。那天晚上，我知难而退，把"州长"从我预谋竞选的名单里划掉了，决定试试州教育部长，这个职位竞争性毫无疑问要小一些。哈！如意算盘打得不错吧？

　　人算不如天算，让我告诉你吧，竞选职位低一点的官员和竞选州长一样费劲。我得打败 12 个女孩，才能被本党认可，获得州教育部长的民主党候选人提名资格。所以，第三天，在民主党的提名集会上，我紧张地等待着上台演讲，过一会儿就把汗湿的双手在裙子上擦一下（这可是我最好的裙子啊）。我已经写好了演讲稿，还背得滚瓜烂熟，可是我从来没有在这么多人面前讲过话啊。

　　听到主持人叫我的名字，新朋友们开始向我吹口哨。突然之间，我浑身充满了勇气。演讲的情形找不到合适的词汇形容，只能说——非常好。我准确无误地发表了事先准备好的演讲，甚至即兴高呼了几个民主党的口号。

事后，我认真思考了人格分裂的可能性：站在台上的不是我，是一个崭新的人。原来的我做不出这样的事情。我用了什么魔法，能把手足无措的我变得这么神采飞扬？

我获得了民主党的提名，但这只是一个开始。那天下午，我做了一个竞选海报，贴在餐厅。我伫立在海报旁向漫步进来的女生们问好，极力劝说她们能投票给我。我还四处打探，得知我的共和党竞争对手是一个叫苏珊娜的甜蜜女孩，她的策略，well，就是甜蜜。她的可爱和活泼让我有所顾忌，我可没有那种楚楚可怜的吸引力。所以，我必须借助于率真和诚恳。

那天晚上，在四百多个女性面前，我再一次发表演讲。奇迹再一次发生了。当我后来看到詹妮弗拍的照片的时候，几乎不能相信照片上的就是我。我来了，挥舞着手臂，向人们抛飞吻，简直就像个十足的政客。最后，我赢了。我，害羞的小书呆子 Kate，州民选官员。没门儿？有门儿！

我性格里的另一面被发掘出来了。

竞选结果公布了，我不可思议的室友、共和党人麦肯齐也没有失败。她成了州长，使我们这层楼成了州政府权力中心。我们两个耐着性子参加了漫长、正式、庄严的宣誓仪式，这只不过是确认了我们的职务。仪式上的几张照片将会珍藏在"女生之邦"官员图库里，并将进入第二年的《女生之邦指南》。

竞选成功的高兴劲过了以后，我开始渴望能做一些正事。一天之内三个集会，我坐在没完没了的集会上，快把椅子坐穿了，我讨厌这个。我发誓，她们是想让我们坐胖了，

因为吃了一顿饱餐以后，我们经常要坐在那里两到三个小时听演讲。坐这么久，也没有一点乐子。只有一位女市长的讲演还挺好玩，她给我们示范自我防御技术。这逗得大家哈哈大笑，喧闹个不停，因为她让我们的一个保镖（是的，我们有保镖）做她的靶子。我觉得他很可怜，因为他是除了厨师以外惟一的男性了，我们看了他整整一个星期。女生们吹口哨，叫嚷着，对他喊一些蠢话。

well，你看到了，青春期少女被剥夺了男生这么久，这就是结果。

第四天，我们终于开始工作了。结果证明了一点：被选成州政府官员就意味着穿戴讲究地享受空调房。我们这一小部分人相对比较自由，可以四处活动，不用拘禁在立法会议里。我们所要做的就是研究我们在真实社会里的对应官员的责任（他们还寄给我们一封贺信），呈给"女生之邦"的模拟政府的官僚同事。我非常失望，因为我并没有对全州的教育管理做什么贡献。

我们顺道也去立法会议看了看，那里给我留下了深刻的印象。正式的用语、礼仪和庄重的气氛都被完美地克隆了。虽然没有那么多工作可做，但我特意给自己找活干。这些事情我可不擅长，所以我一直熬到了午夜 12 点，写出一份关于本部门的详细报告。像往常一样，我是惟一一个在这上面花了这么多精力的人，因为没有人会把它真当回事。啊，算了。

作为州官员的另一件主要工作是评价城市建设项目。这可太过分了！我们没有任何外部帮助，但是各个城市提出了关于本市的策划方案。她们用饼干、糖果、口香糖、纸和创造力，建起了我以前从来没有想到的、让人大跌眼镜的建筑物。这可太难决断了。最后，所有的城市都拿了某一种奖项，比如最有创造力、最有表现力，等等。

我们市没有赢，坦白来说，我们的方案不是最棒的，但是女生们这么有革新精神，让我叹为观止，印象深刻。城市所有的问题都很现实，商业利益的侵蚀、环境危机、萧条的经济。针对问题的解决方案同样实用而有针对性。想想吧，她们没有任何帮助，就靠她们自己的脑袋！

这个星期是不同寻常的，一方面，我被这么漫长的爱国集会搞得十分厌倦，同时，我也沉浸在和萍水相逢的女孩们之间单纯的友情里面。当然了，有很多女孩都忙于打电话给男朋友、谈论社交生活和时尚服饰。但是同样地，她们勇敢而热情。经常会出现这样的情形：前一分钟，大家还在讨论款式特别的性感衣服、整型手术、人气急升的电影明星……下一分钟，话题就很自然地转向政治新闻。

我通常都喜欢独来独往，见到陌生人就腼腆，现在也一下子跳进社交核心，非常容易就和新朋友套上近乎，接近素不相识但很有意思的女孩，建立自己的关系网。我想这也许是因为男生不在场。像我这么大的女孩，如果周围都是男生，她们就像耍把戏一样，瞬间变得圆滑、自私、阴险，满心渴望吊住一个金龟婿。但是和同性在一起的时候，这些虚伪、矫情就都不见了。我认识很多这样的女孩，如果她们和我一起去上学，会连看都懒得看我一眼，但是在这里，我们促膝谈心。

记得活动开始，大家自我介绍的时候，每个女孩看起来都形象地体现了美国人的理想：学生领导、社团主席、校运动队的队员、拉拉队队长、著名奖项的获得者、某个社区服务组织的创建者、出众的钢琴师……她们看上去多才多艺得不像话。但不知何故，在女生之邦，我们和谐地融为一体。我会永远珍惜这一点。不是因为成为了州政府的官员，也不

是因为学习了关于政府的知识，而是由于锻造出的人类情感的纽带。

分别前的最后一天晚上，我们打破了熄灯睡觉的规定，开了一个大 party。我们用凑的钱订了比萨，买了冰淇淋、饼干、糖果；我们租了影碟，打游戏，到处游来逛去。我们交换电话号码、地址、E-mail，送我们的顾问一份致谢礼物。我们的笑声、欢呼声在寒冷、寂静的埃伦斯堡夜晚回荡，直到第一线黎明迫不及待戳破夜空。筋疲力尽的我们这才抓紧时间睡了几个小时。

在最后一次升旗仪式上，我眯着眼睛困难地看着早晨刺眼的阳光穿透国旗。我还是第一次这样看。看着星条旗在微风下轻轻起伏，不知道为什么，我觉得对我来说，"女生之邦"会成为一个新事物的开始。这个事物将会用一种未知的方式改变我的生活。因为，我已经发现隐藏在我体内的另一个自我，她带着等待完成的使命迸发了出来。

当我登上公共汽车，和詹妮弗最后一次拥抱，我默默地重复着"女生之邦"的箴言：

"永远向前，永不退缩，未来就在，我们肩上。"

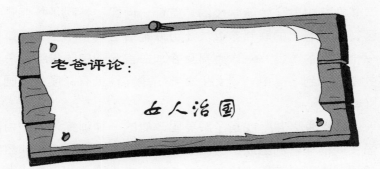

老爸评论：

女人治国

政治不是女生感兴趣的话题。Kate 有点特别。她对美国的总统历史非常入迷。她甚至记得某个总统夫人的身高是几英尺几英寸。有个教授不相信，跟她打赌考她一个问题，当然是教授输了汽车。考虑到人类灵魂工程师那点可怜的收入，Kate 最终没有拿走他的汽车。

对总统历史的兴趣，并不代表 Kate 有意从政，或者嫁个政客，赢不了选举只好去赢个被选举人。不，她到目前为止对从政没有兴趣，但是她对政治的好奇心高于许多同龄女生，对社会问题的争论常常是跟她老爸翻脸的原因之一，虽然我们都是民主党人。晚餐时间观看和议论新闻成为我家餐桌上的一道必备之菜。我希望她了解我们所生活的社会环境和政府结构。

每个国家都需要对孩子进行政治训练。有些国家的政治训练限于理论，也就是告诉未来的公民们本国的立国原则、政治制度、政府结构等等。有些国家还要加上实习训练。譬如美国，因为这里的教育者认为，民主不只是一种政治理念，而是一种修养，一种生活方式。如果没有这种修养和生活方式，民主只是一句迷人的口号。

在小学时，学校组织模拟总统选举，Kate 投了克林顿一票。在初中时，她随学校的"首都访问团"参观了华盛顿特区，本州选出的联邦参议员还讨好地给这群初中生们安排了一个特别的节目——作为嘉宾参加白宫欢迎中国朱镕基总理的仪式。到了高中，"女生之邦"是一种更有深度的爱国主义教育。

"女生之邦"就是了解美国政府的一种训练，它是由美国民间的非营利组织"美国退伍军人协会"全额资助和组织的。"美国退伍军人协会"是由美国老兵组成的一个极其爱国的组织。组织"女生之邦"是为了帮助高中女生亲身参加政党政治，组成模拟政党和政府，从而实习美国政府的运作方式。

参加的女生是从全州各高中推荐并经过面试挑选的，这些女生是在领导才能、社区服务、学校活动中表现出色的学生。四百多名高三的女生们在学期结束前集中一星期，学习公民的权利和责任、政府的立法、司法和行政的规则。女生可以竞选州参众两院议员，可以竞选从市长到州长的各级政府官员职位，可以竞选联邦参议员。当选议员要起草法律提案，竞选官员的要制订施政纲领，挑选任命官员，两个被选成联邦参议员的女生将要到华盛顿特区，与其他州的"当选议员"组成议会，决定"国家大事"。

为什么"美国退伍军人协会"会认为这个活动能培养爱国主义精神呢？因为爱国是要参与国家的政治制度和政府建设，并且愿意拿出自己的金钱与时间来奉献给国家的进步。爱国不是一种招摇过市的免费作秀，爱国需要的是奉献。肯尼迪总统曾有一句名言："不要问国家为你做了什么，要问你为国家做了什么。"在美国独立战争中，耶鲁大学 1773 届的内森·黑尔在被英军绞刑之前说："我一生无悔，遗憾只有一次生命献给我的祖国。"

　　从华裔美国人的历史来看，华裔的地位提高也是与其政治参与度有关。Kate 在"女生之邦"面试时说："我 5 岁来到美国，要做好的公民，我更需要了解美国政府的运行方式。我还需要知识向周围的华裔移民家庭介绍政府的结构和功能。"

　　Kate 不是一个盲目的爱国者，她不会因为布什总统说要打仗，把国旗一舞，她就会跟群众一起扭着秧歌去支前。以君子之心度小人之腹，我一直怀疑 Kate 的动机并非她所宣传的那样单纯，因为她稍后又参加了她不热衷的选美活动。她是一个理性的书呆子，会不会她是在建设自己申请大学的简历？因为如果没有"女生之邦"和美少女的成功，她的形象比较单调，特别好的大学不会要一个书呆子。

　　读到此章时，你恐怕已经不怀疑 Kate 的写作能力，她还是一个很能写煽情演说的笔杆子。她常常代那些竞选学生领袖的朋友写演说词、设计竞选口号和海报。她能在"女生之邦"活动中竞选上州教育部长并不令我奇怪，如果她不跟州长候选人同住一屋、被她的严峻所吓倒的话，Kate 一定会竞选州长。我可以想像她像个好莱坞演员一样打飞吻，像个政客一样高呼竞选口号。

　　参加"女生之邦"的一个收获是，Kate 发现自己可以发表公开演讲而不怯场，可以像政客一样站在讲台上表情投入地向选民挥手，可以与陌生人亲切握手。她具有相当的推销能力，这种能力在稍后的选美和大学面试中起了重大作用。她的这种能力并非从天而降，是在课堂和家庭辩论中积累起来的。主要的原因，她也许不承认，又是爸爸的基因遗传，以及在家里长年忍受老爸我唾沫四溅、慷慨陈词的一个意外回报。No pains, no gains（有付出才有回报）。

第 9 章

全国青年领导论坛
——现实与理想

　　每个人小时候都有一个梦想，或者是想做一名律师、一名演员、一个歌手、一名教师，或是一个医生。至于我呢，辛普森被判无罪之后，我断定：所有的律师都是贪得无厌，为了大把钞票就满嘴谎话的大骗子。我不是国色天香，当不了演员。我五音不全，唱起歌来能逼得山羊跳崖。至于教书嘛，我脾气那么糟糕，有可能因为打学生板子坐牢，而不是被评为"优秀教师"。

　　因此，我的选择落在了医生上面。别误会啊，我真想成为一名医生。我喜欢帮助别人，喜欢出现在别人危难之际。我尤其喜欢想像自己作为一个权威的医学博士威风凛凛地走在医院的大厅里，满心热望的实习医师们一路小跑跟在我后面。

　　我不是为了钱，比起以往，医生的收入实际上已经下降了。而且繁重的工作足以让人身心俱疲，两相抵消，收入丰厚的优点也就不算什么了。

　　认识我的人都知道，总有一天我会成为 Dr. Kate Wang，医学博士（MD）加哲学博士（Ph. D）。在高中的时候，我尽量多选自然学科的课程（7 门），为我将来的选择做准备。我逐字逐句地细读了每一期《美国新闻和世界报道》中的"顶尖大学"栏目，把最好的医学院都用荧光笔画出来，比如华盛顿大学、加州大学旧金山分校和约翰·霍普金斯大学。

　　我甚至选择了专业：儿科。顺理成章地，我的兴趣也曾在几类中徘徊不定：妇产科（当知道我必须要接生的时候，我赶快抛开了这个念头）、皮肤科（我也放弃了，因为我不想给那帮富婆们吸掉脸上的肿胞，帮助她们皱巴巴的脸恢复人造青春），甚至眼科（整天让别人比较眼镜的度数可不是我想像中那么好玩）……最后，我的念头又转回到儿科。

所以，当然了，我急不可待地报名参加了全国医学青年领导论坛（ National Youth Leadership Forum on Medicine, NYLF）。虽然会费很贵，算飞机票在内就有 2 000 块钱。但是我跃跃欲试，爸爸也说，这会是一次很好的经验，帮助我学习和发现自己。

于是，我挑了六月底在旧金山举行的论坛（其他地点包括波士顿、华盛顿、休斯敦、洛杉矶），一方面是因为离家近飞机票比较便宜，迎合了我这个小气鬼的心理；另一方面，那里的医学临床声名远播。我真正一个人去一个陌生的城市，这还是第一次呢。我好兴奋啊！

"9·11"以后，机场的安全检查比渔网还密，简直是滴水不漏。我们提前三个多小时到达机场，但是我父母不能通过安检关闸，所以在等待登机的大部分时间里，我只好自娱自乐。真后悔没有带吃的过来，机场的东西好贵啊，简直让人难以置信。虽然爸爸给了我两百块做路上的花费，可是我舍不得花，因为，哈，如果我有剩余，爸爸肯定不会收回的。我精心计算了一份最便宜但是足够填饱肚子的午餐，想不到吧，才花了四块钱。

我东张西望，看有没有论坛参加者"潜伏"在机场。看来看去只看到一个十多岁的男孩，他一副闷闷不乐、爱理不理的神气，耷拉着眉毛坐在那里，我可不敢跟他搭话。

飞机航行的大部分时间里，我都在昏睡，一边还想，万一飞机坠毁了，我这么迷迷糊糊地肯定做了糊涂鬼。当然了，飞机安全降落了。我原来设想在机场会有一个盛大的来自 NYLF 的欢迎仪式，结果扑了一场空。我只看到一个面带微笑的卷发青年举着 NYLF 的牌子。

咦，这时候我发现，原来那个板着面孔一言不发的男孩果然也是来参加论坛的。当看见一个也在等车的金发美女

时，他终于开口了。我想，嗯，我还是不够有魅力，没法撕掉贴在他嘴上的封条。

言归正传，我原以为我带的行李够充分了：每一种场合、身份的衣服都带了几件，职业装、休闲职业装、休闲装。我甚至专门去买了新鞋、裙子和一个大手袋，这些花了我很多钱，想想我多小气啊。现在我吓了一跳，天哪，这些女生真是全副武装。每人两个箱子，再加一个背包！那个卷发男孩点评说，我的箱子是他这一天里见过的最小的一个，包括男生在内。真糟，我准备得太不充分。

上车的时候，我的心又往下一沉，熟悉的高中生活映入眼帘。浓妆艳抹、俗不可耐的女孩，声音尖锐刺耳，浓重的香水味挑逗着男生。我懒洋洋地坐着，假装靠在车上睡着了，只和一个书呆子气很重的女孩有一搭没一搭地说话，她的眼睛透过厚厚的、粗糙的眼镜闪着激动的光。oh，妈妈呀，论坛肯定会让我失望的。

伯克利的克拉克·柯校园非常漂亮。典型的加州建筑风格，漆成白色的外墙，贴着橙红色的瓷砖，校园里到处是棕榈树、绿色的灌木丛、喷泉，比"女生之邦"的宿舍不知道强多少倍。同样，校园里人山人海。我怎么也找不到我所在的弗莱明组（所有的小组都取自一个名人的名字，我的小组是以青霉素的发明者亚历山大·弗莱明命名的）。

不过很快，我胖胖的室友一阵风一样刮过来，把我刮回了宿舍。她叫凯瑟琳，来自西雅图，酷爱在 eBay 网上买鞋（她已经买了 70 双了）。我们的房间设施齐备，有两张床、两个衣橱、两张桌子、两个抽屉，每样东西都安排得恰到好处。凯瑟琳看到我的小箱子大为惊讶，她得意地让我看她的两个箱子和装得鼓鼓囊囊的背包。还没喘口气呢，她就紧接着喋喋不休地说她太激动了，她是怎么在我们这组里发现了

一个大帅哥保罗，她想买一个加州大学伯克利分校的 **T** 恤，哇啦哇啦说个没完。不是我的同类。她人很友善，但是太平庸了。

我飞速换掉在旅途中弄皱的衣服，跑下楼去见我那组的成员。每一个小组都在不同的房间开会，也就是所谓的"医学会议"。我们组大约有 **20** 个人，虽然人数少，但是照样拉帮结派。"酷哥"们已经开始称兄道弟了，包括帅哥保罗、几个不怎么帅的男生和一个亚裔男孩。有两个不酷的男孩看见这么多女生，脸"刷"一下就红了，东张西望，眼神净往角落里扫。

女生更能放得开一些，像我室友这样吵吵闹闹的"自来熟"们已经在大惊小怪地互相恭维对方的衣服，分享彼此的购物心得。我强忍住自己，才没有在这么郁闷的空气里打出哈欠，像以往一样，自然地转向亚裔女孩。唉，可惜，里面也有一个属于我最不喜欢的那种。富有、俗气、自以为是、娇生惯养、浑身上下都是名牌的中葡混血儿，她和大牌明星罗宾·威廉斯的孩子在同一家私立学校读书。甚至她的名字也带着不可一世的味道：祖利娜（Zurlina）。其他亚裔女孩更合我的胃口。普尔妮玛是印度人，因为民族的关系洋溢着一种异国风情。她非常真诚，快活，甜美。阿利桑德拉是华裔，同样很随和，不娇纵。另外那些都差不多，我花了整整两个星期才理顺她们各自的性格特点。

吃晚饭也是拥挤不堪，队排了好长。排队的时候，我搜罗了一圈，发现亚裔学生差不多占了论坛的一半。我挨个读着他们的名卡，很多人来自偏僻的小镇，而不是大城市，这让我大为惊讶，得克萨斯的舒格兰、弗吉尼亚远郊的某地、田纳西的一个小镇……

人们来自五湖四海，看上去个个都很成熟，一副久经世

故的样子。女生们穿着性感、昂贵的衣服，男生穿着拉尔夫·劳伦。一个有钱孩子的聚会，这个论坛肯定是这样。想想会费就不该觉得惊讶。我只希望他们的脑子有他们的财富一半多就好了，因为我可不想把我宝贵的假期浪费在和白痴们说话上面。

结果证明：大多数人非常能干。与少数的绣花枕头不一样，这些有钱孩子知道怎么去用他们的脑细胞。他们人情练达，有凝聚力，尤其突出的是：多才多艺。有很多人是舞蹈家、歌手、数学家、电脑神童。不用说，他们的父母都出自名校，他们的家族和常春藤学校有这么深的渊源，可以追溯到他们的曾曾祖父就是从那里毕业的。也许大多数人的父母或者家庭成员都在医学界（这说明了他们为什么那么有钱），这些孩子也立志成为医生。他们每一个人不是要进哈佛、斯坦福，就是耶鲁、普林斯顿。甚至都不把华盛顿大学、伯克利这样的学校放在眼里，他们就知道哈佛、斯坦福，斯坦福、哈佛。我发誓，那天我听到旧金山的冷风也在我的窗外呼啸而过："哈佛、斯坦福。"

第一天晚上，好玩的事情发生了。我在新楼里迷路了，我走错了楼层，拧开厚重的门就想进去。门开了，我面前出现了两个光彩夺目的金发女孩，一个是加州海滩的宝贝奥布里，一个是乔治亚州的可人儿。加州宝贝是我们组的，一个不同寻常的女孩。她比我们大多数人的年纪都要小（她才15岁），看上去天真无邪，但实际上极其成熟、聪明、有判断力。她对那些八卦闲谈嗤之以鼻，渴望真正学习一些东西。乔治亚可人儿非常友善，她有那种非常典型的南方观念。她的南方口音悦耳动听，她也是被宠坏了。但是这种娇惯很可爱，经常令你为她的过分哈哈大笑。她们两个带了好多东西，奥布里的父母甚至送了一大束芬芳的百合花。她们把成

堆的优雅衣服、皮鞋、指甲油、化妆品和有机食物——摆出来，我的眼睛越瞪越大。三个小时内，她们把一个公共宿舍变成了她们的行宫。

论坛开始了，我黏住奥布里和普尔妮玛，我们一起听医学演讲，一起吃饭，一起逛伯克利最有名的电报大道。流浪汉们藏在街角鬼鬼祟祟地窥视，让我们有一点不安。一个人甚至向我们组的人兜售毒品，但是大体而言，没有什么真正的危险。

伯克利校园周围的大街小巷绝对够刺激。到处是专卖店，异国情调的咖啡馆、小卖店，这，就是一个大学生的梦中天堂。每天，我们都选择不同风味的饭馆来尝尝鲜，乐此不疲。两个礼拜后，我们已经吃遍了亚洲餐、地中海风味的饭馆、经典美国菜和日本菜。

医学专题讨论会本身没什么可挑的了。各个专业的名医或者是在小组和我们交流，或者在讲坛上演讲。但我很快就明白我关于医生职业的美丽的肥皂泡破灭了。医生要牺牲的太多了：家庭、私人时间、健康、精力。我怀疑在有些时候，也会失掉正直的品质，为挣快钱而不遵守神圣的医德。

我不想责怪什么人，但是我不想变成这样。家庭对我非常非常重要，比任何财富、名声都重要得多。我想让我的孩子在我身边长大，但是很多医生却做不到这一点。外科医生每周都要在医院值 90 个小时的班，这是我父母上班时间的两倍啊！

虽然医生们马上补充说，在这样光荣的职业中，他们已经心满意足。但是我原本坚定的目标开始动摇了。是的，我想帮助别人，但我想这样去帮助别人吗？我遇到一位叫亚登的华裔儿科医生，她的工作就是我梦寐以求的状态。她每周工作 40 个小时，有私人诊所，有些人从一出生就是她的病

人。但是在我见到的几百个医生里面，她太例外了。我选择这个职业的可能性有多少呢？我心里激烈地斗争着。我这辈子惟一渴望的事业被论坛搅黄了，而我原本还想借这个机会来坚定我的信心呢。我不敢告诉父母我的这些情绪波动，因为他们已经在外面放出大话来，说我要成为一个名医。好吧，再多想想吧。

天不遂人愿，几乎我参加的每件事都让我离原来的目标更远。一天，天气非常闷热，我们去参观不知道在什么鬼地方的加州大学戴维斯（UC - Davis）医学院。在那儿，我第一次看到尸体，第一次触摸骨骼，第一次戳干瘪的胸部、躯干和器官。我早就知道解剖人体是通往医学博士的必经之处，但是现实太让人别扭了。

我性格敏感，不能接受这个事实：尸体不是人，而是科学工具。对我来说，他们永远是人，我没办法设想用刀割开自己同类的身体。我这一组的很多人都在争先恐后地戳一个已经放了 12 年、差不多分崩离析的 80 岁老太的尸体。我觉得一阵恶心涌上喉咙，要使尽全身气力才能压制住。当我触摸每具尸体的时候，脑海中不由自主地想：这曾经是一个妇人，这曾经是一个孩子……这个人曾经生活过、呼吸过、爱过、感受过。

我不能克服这种想法。虽然外面是华氏 100 度，应该是闷热不堪，但我走出大楼的时候一点也不热。实验室的冰冷现实中和了室外的高温，我明白，我不能做一个医生。不仅仅是尸体本身，尸体只是把我这周碰到、想到的所有问题推到了顶点。但是我没有生气，也没有伤感，或者沮丧，我觉得很开心。我自由了，不必把自己吊死在一棵树上。稍微有一点后悔，但是我意识到，只要有激情，能全心投入，我还可以有许多选择。不一定要做一个医生才能去帮助别人，这个认识让我摆脱了枷锁。

参观、开讨论会和演讲可不是生活的全部内容。我们要研究公共健康计划，最后要呈交给论坛组织者，优胜者会获得资金来实现他们的想法。我分在"营养不良研究小组"，对这个问题我深有感触，因为不论是在中国、在美国，还是在电视上，我都看到那么多的穷人。

人算不如天算，好可惜啊，像往常一样，我和一个懒惰的小组绑在了一起。他们更喜欢互相调情而不是工作。一个男生，保罗，绝对是一个女生杀手，虽然他的扭捏作态让我怀疑他是否同性恋。他把其他人搅得一塌糊涂，我不得不拿出点项目领导的威风，板起面孔要求大家通力合作。我大声指挥他们，告诉他们，我绝对不能容忍懒惰，才不在乎所有人都会讨厌我的老板作风呢。

我花了很长的时间组织集体讨论，从网络上搜集资料。我们的目标是通过在学校讲演、散发小册子、请特约嘉宾演讲、筹募资金来告诉社区营养不良的严重性。我精心准备了要在陈述那天进行的讲演，其他人的懒惰也让我担心得睡不着觉。

负责在一个大类中协调几个小组（包括营养不良、艾滋病、水质等等）活动的主管彼得是从韩国收养的孩子，曾经和他的管弦乐队到中国演出。他非常善解人意，谦逊有礼，不毛毛躁躁，莽撞行事。不用说，彼得很有吸引力，不像帅哥保罗是典型的幼稚孩子。可惜啊，彼得已经有了一个女朋友，就是在论坛认识的。

说到约会，那可是论坛的大事儿。看起来好像所有人都勾搭上了，而且出奇地快。我刚到的那天，看到两个人纠缠在一起，深情对视，很响地打 kiss。男生比较有利，因为女生人数远远超过他们，比例大概是 4∶1，所以女生实际上要

互相践踏才能吸引男朋友。我悲哀地对普尔妮玛和奥布里（现在我们是铁三角）说，有些人好像不是来学习的，而是来增加社交生活的被征服者的。

有时候作为局外人，看别人调情也是一桩乐事，尤其是保罗对奥布里一厢情愿，他为了引起奥布里的注意，故意吵吵闹闹，搞出很多事，但是奥布里完全麻木。当然，很多女孩没这么干，只不过因为家里已经有男朋友苦苦守候，纵容调情游戏会让她们觉得有罪恶感。

克莱尔，一个老于世故的南方美女，有一种漫不经心的魅力，拿着她男友的照片四处招摇，不时地跟别人谈起他。有一些小狐狸忘记了家乡望穿秋水的男友，奋不顾身地到处勾引别人。我很想评论是非，但是转念一想，我自己还没有约会过呢，现在也没有心上人，所以还是不批评为好。至少，这种八卦故事在冗长的医学会议里多少带给了我和朋友们一些额外的谈兴。

抛开论坛上那些大草包不说，我也确实遇到了追求和理念相似的同路人。前面已经提到普尔妮玛和奥布里了，还有雅典娜、索妮娅、雅姬、拉马纳。雅典娜是个华裔，我是在餐厅开始接近她的，因为她的名字太独特了，这个名字取自

王可与全国青年论坛医学组成员在旧金山（左起：普尔妮玛、奥布里、索妮娅、金格尔、杰奎琳、王可）

希腊女战神（雅典娜）。她非常安静，不迂腐，也不张扬，只是一个可亲的加州女孩。

索妮娅完全不同——她是一个脾气火爆的巴基斯坦靓女，反应敏捷，有一种坏坏的幽默感。她和印度裔的普尔妮玛的成长经历、文化背景都非常相似，但是她更成熟，因为她来自纽约市。拉莫娜二十多岁，是我们医学小组的顾问，一个非常智慧的女人，毕业于哥伦比亚大学。她经常用一种公事公办的态度提醒我注意一些问题，小组的懒虫们不喜欢她，但是我看到了她对专业的热爱。

雅姬看上去很普通，实际上充满了矛盾。她游弋于我的这帮人和另一帮 "popular group" 之间，和每个人都相处得很和睦，但是不和任何人走得很近。蒙她的信任，向我倾诉说，她的梦想是考进她父亲的母校——斯坦福，但是大家都认为她考不上。有一次，她打听到我的 SAT 成绩，就把我当成活菩萨，求教 "怎样进入一所好大学"。我自己也是初出茅庐，但是她的绝望和无助让我心里非常感动，就鹦鹉学舌地把书上看到的东西讲给她听。

最后一天很快到来了。我们的公共健康计划被展出，还获得了表扬，虽然我的小组没有获奖，但是我觉得非常自豪，因为我们做了这么好的陈述，也很高兴我不必再紧张失态了。

那天，女生们花了很多时间躲在房间里打扮自己，准备去参加旧金山海岸的巡航。很多人带来了正式的晚礼服，但我却只有一件在中国买的粉蓝色的 "A" 字裙。普尔妮玛和索妮娅都穿着印度和巴基斯坦传统服装，看上去令人目眩。有的女孩已经计划好了自己的舞伴，我只是把这次出游当成一次机会，可以吃吃喝喝，和朋友们度过最后一晚。well，至少一开始是真的吃吃喝喝了。

我们上船的时候，还是阳光普照，但是凛冽的凉风，已经预示了我们要度过一个寒冷的夜晚。首先碰到的问题就是，人太多了。我和朋友们只好坐在冷风中吃饭，甚至没有桌子。食物比餐厅粘糊糊的大锅饭要好得多，松脆的面包，喷香的意大利面条，美味的凯撒沙拉和各种软饮料。甜点最棒，柠檬奶酪蛋糕、草莓奶酪蛋糕等等。我每种风味都吃了很多，但很快就后悔了，我快撑死了，接着又开始头痛。

整艘船音乐轰鸣，更加剧了我的头痛。主舱里的桌子都被清除了，布置成一个舞厅，一百多人摇头晃脑，蹦蹦跳跳，饶舌，嘻嘻哈哈，摇滚，流行曲，什么都有。我不是个舞迷，尤其不喜欢这种喧闹的音乐，黏糊的舞姿。

实在不能忍受舞池里过分的亲昵，我跑上楼，灌了好几杯热茶。我的朋友们都各自为阵了。我看到普尔妮玛已经迷上了懒鬼保罗，哪儿都看不到奥布里，我只好独自坐在桌边。

太无聊了，我又下楼来。还没来得及再次心生厌恶呢，一个完全不认识的亚裔男孩走上来请我跳舞，我很快地说"no"，然后又上楼了，再也不给任何人机会请我。我不喜欢和陌生人跳舞，除非他们特别特别帅。当然了，所有的帅哥都已经名花有主了。

当我无聊地用手指敲着桌子，恨恨地盯着露骨地献殷勤的保罗时，彼得走了过来。刚才我看到他和女朋友跳舞，但现在，他在休息。我们倾谈了一小会儿，我告诉他我对斯坦福有兴趣，他回答说他父亲从那里毕业，所以如果我想多知道一些，尽可以问他。我太高兴了，终于在这里碰到一个男孩，可以和他讨论一些别的，而不是漂亮女孩、电影和汽车。

巡航结束的时候，我困得都可以昏睡百年了。我看到了朋友们，还没来得及重温友谊，我就在汽车上睡着了。第二天醒来的时候，头痛欲裂，胃也在泛酸，这是前夜放纵食欲的报应啊。我挣扎着起了床，收拾好小箱子，把所有东西都拖到楼下。在这种时候，我终于可以暗暗得意：幸亏行李少。每个人都气喘吁吁地又背又拽的时候，我轻松自若地把箱子送上了汽车。

但是，分别，这是艰难的一刻。所有人都聚集在空地上，互相拍照。这一天非常美丽，第一次没有任何人的滑稽行为让我不愉快。好像离别的悲伤冲掉了我的挑剔。我抓住拉莫娜、奥布里、普尔妮玛、索妮娅、雅典娜、金格尔、雅姬、彼得，和他们合影留念。我们交换 E-mail，互相许诺要保持联系，还开玩笑说，我们要在哈佛和斯坦福再相逢。

然后，我们分别了。

我的大巴是最后一个离开的，我站在原地，看着广场慢慢地空了，热闹的喧哗，青春美丽的身影，都已经慢慢地不见了。一种伤感的、意味深长的寂静。不等难过的情绪袭上心头，我迅速上了车。我不伤感，不失望。我已经学到了很多，得到了很多，我认识了很多出色的人，和他们成为了朋友，并将保持联系。没有什么可失落的。

在飞机上，我静静思索此行的诸多收获。我满怀对医学职业的自信而去，却无业而归。算是一次失败的经历吗？不是，我获得了对自己的认知，获得了新的可能，新的前途。这些绝对值 2 000 块钱，我非常肯定。我迷途知返，把自己从不现实的梦想里救了出来。想想我差一点就投身于一个被我的想像美化了的职业，如果我真的去做了，未来会有多失望，会交多少学费，会浪费多少精力啊。现在，这一切都免了。

现在，我有更好的期待。

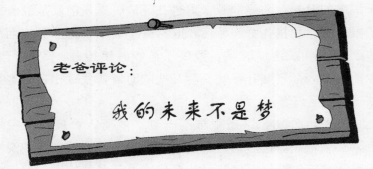

老爸评论：

我的未来不是梦

　　每个孩子都在想长大了做什么，有些孩子会经常变换想法，Kate 不是。她从小想当医生，这一点没有变过。许多家长希望孩子能当律师、医生，这样的职业社会地位高，能挣钱。

　　我认为医生的学习时间太长：四年本科，四年医学院，四年实习医生，出来了嫁给谁呀？当律师还差不多，时间短，四年本科加三年法学院，当个公司律师，把钱往口袋里哗哗地赶。可是，为了客户利益，公司律师会被迫违背良心，时间一久习以为常。所以，Kate 决定不当律师，怕自己没有勇气伸张正义反而去颠倒黑白。

　　梦想是美好的，现实也许不。我记得有个朋友的女儿想学 IT，参观了英特尔的研究中心后就改变了主意，她说没法接受在格子间里敲计算机那种工作环境。为了帮助 Kate 了解医生的职业，我们鼓励她做了三件事，去体会医学临床或研究。

　　第一件是临床方面。从高一开始到现在，她每个周末花四小时去一个医院做义务护士，观察白大褂的医院生活。通过观察，Kate 并没有热爱这种工作方式。

第二件是高二结束后的暑假，去了华盛顿大学的基因医学实验室做研究助理。华盛顿大学医学研究非常好，当年的（2001年）的诺贝尔医学奖就是由华盛顿大学弗雷德·哈钦森癌症研究中心的主管李·哈特韦尔获得。

这是 Kate 特别幸运的机会，一个高二学生能接触到世界上顶尖的医学研究室。同样是中国留学生出来的于幕君教授和冯庆华夫妇，帮助 Kate 进了冯博士管理的实验室，并让 Kate 在他们家吃住几个星期。到了周末，小天才哈尔·陈的爸妈就把 Kate 带回几十里外的我家。这个经历让 Kate 知道，她不喜欢跟实验室打交道，她喜欢跟人打交道。

第三件是到了高三，她去了全国医学青年领导论坛医学分坛，这个活动让她深入观察到高水平医学临床和研究。结果是她彻底放弃了做医生的想法。

全国医学青年领导论坛是一种学习夏令营，为期一周，分为国防情报外交组、法律组、医学组，后来加入了技术组，组内还有细分专题。它的目的是帮助高中生接触专业生活，增加对未来职业的了解。在各个专业方面，有杰出的专家介绍专业和培训参加者。NYLF 是自负盈亏的非营利组织，也接受社会捐助。从 1992 年建立以来，先后有五万多学生参加了这个活动。

参加这个活动要花钱，所以都是家境比较好的孩子去，倒不一定是表现杰出的学生。穷人的孩子可以申请奖学金，但穷人的孩子会对这个感兴趣吗？许多家庭送孩子去是为了让孩子课外活动更丰富，填到大学申请表上很好看。我也有这个想法。后来发现对上顶尖大学没帮助，NYLF 不是什么优秀性的代表。

Kate 发现 NYLF 成了有钱孩子俱乐部。譬如 Kate 在 NYLF 的室友，就是来回坐头等舱、有 70 多双鞋的有钱小

姐，有的孩子家里有私人喷气飞机。这些孩子的成绩并不特别优秀，可是个个都想进入名校。她们还真能进去，因为家里有钱，爸爸又是校友。就算是进不了，小姐们可以找个名校旁边的私校混混，近水楼台勾上一个名校男生，搞不定书本难道还搞不定书呆子？

我认为 Kate 有机会看看有钱人家的孩子，如同看看穷人家的孩子一样，对人生非常有帮助。生活在一个商业社会，不能敌意对待商业成功人士的生活方式。穷不是光荣，富也不是可耻。Kate 多少对富人有些妒嫉之心，所以对财富装得不以为然。我告诉她，在商业社会要学会对金钱的尊重，如同尊重劳动一样，除非你有理由相信别人的钱财取之无道。

从 NYLF 回来，Kate 终于决定不做医生了。她现在想学的是心理学或是国际政治和国际关系、政府学等，她决定到了大学二年级后才选专业。美国大学容许学生一开始不选或改变专业。譬如从小就想做医生的艾米，在 MIT 的第一学期就发现自己不再想当医生了。

我常常听到第一代移民家庭的这种故事，父母要孩子学多挣钱的专业，可是孩子没兴趣，大学毕业后又按自己的爱好重新学习一个赚钱少的专业。我们这代人经常是追求较好的收入和权力，很少考虑自己的爱好，也许我们就是爱好功名和金钱。

然而六位数的高薪和耀眼的职务，能看见蓝天白云的大办公室，常常不能还给我们一个明亮的心情。

2000 年时有许多野心勃勃的年轻人向美国一位大投资家讨教人生忠告，他说：做你深爱的事情，你才会幸福。他没有劝人跟他一样做投资人，虽然能赚大钱，但并不是人人都喜欢这个工作，也不是人人都有投资的天才。

我有个朋友是俄国人，刚来美国时很缺钱，记得他那时老是想多挣钱。每次谈到人事和工作时，他爱问："多少钱？"他后来在芝加哥大学师从研究劳动经济学的詹姆斯·赫克曼（2000 年的诺贝尔奖得主），再后来把赫克曼退掉去学挣大钱的证券专业，博士论文都不做就出去打工了。我最近写电邮给他，说听朋友讲他在挣大钱。他回邮说，钱没有意思，目前工作只是为了保持在美的合法身份，有了绿卡后就想去科罗拉多州的滑雪场做一个 ski bum（滑雪流浪汉）。

　　曾经有一个英国年轻人，替我做数据编程，他是合同工，有活时在西雅图干，没活时他就跑到洛杉矶或英国，白天写程序，晚上在酒吧演奏音乐。他说，靠音乐他没法挣足够的钱，所以需要一个挣钱的工作；没有金钱，他没法活下来，没有音乐，他活着就没有乐趣。

　　我自己对经济学研究没有激情，我知道做一个没有激情的工作有多么无聊。在美国这个富裕的社会，第二代移民不需要为了生存而工作，因为她们实在值得拥有更好的人生，她们的智力和文化背景也提供了更多的选择。再说，Kate 也不会听从我的安排。对吧？

　　每一代有自己的活法，父母要学会从舞台走到看台。

第 **10** 章

中国之夏(上)

　　人们经常问我："你更喜欢中国还是美国？"这可真是个傻问题，你怎么能拿不同性质的苹果和橘子相比呢？我喜欢苹果，因为它果肉饱满，咬起来"咔嚓咔嚓"作响；我也爱橘子，因为它甜美多汁。同样，我喜欢美国，因为她机遇多多，乐观向上，而且，她养育了我；我爱中国的历史、文化，是她生育了我。

　　所以我很高兴能生活在美国，也一直盼望能回到中国——这个念头经常不由自主地蹦出来。看这个词："回到"，不是"访问"。"访问"听起来这么见外，这么有旅游的味道，好像我已经完全变成了美国人，好像对我来说，中国不过是另一个观光和品尝美食的景点。

　　不，绝对不是这样。我是"回到"，因为那是我出生的地方，我的家族在那里，我的根在那里。我讲得这么骄傲，这也是我和一些华裔同学不同的地方，她们只是把中国看成一个阿里巴巴似的藏宝库，那里有便宜货、好吃的，可以用值钱的美元买盗版光碟。我记得小时候我也是这样，只是把中国之行当成一个炫耀美国的富足和优越感的机会。现在，再也不会这样了，我只有一个单纯的愿望——回到祖先生活过的地方。不管怎么说，克服了无知的外国游客作风，是我这几年最值得骄傲的成就之一。

　　虽然每个暑假我都想回国，但不是说回去就能回去的。之前的那个暑假，我在华盛顿大学做研究助理。而且，我妈妈每两年才能攒够一次长假，陪我一起行动。不管怎样，2002 年回国之前，我兴奋得要命，两年以来，我成熟多了，现在希望能探索、发现一些新的东西。这一次我要去上海——亚洲的巴黎、中国传统与现代融合的麦加、中西文化交相辉映的地方。

　　我花了好几天时间一遍又一遍地整理行李，把那些邋遢随意的衣服都排除在外，把我最成熟的夏装、裙子、内衣挑出来，装在两个大箱子里。装上化妆品、洗漱用具，还有让我后来非常后悔的——带了太多鞋。我甚至带了怎样写申请大学短文的书、AP 英文暑假作业和 SAT 专题考试的复习书，这个也令我追悔莫及。最糟糕的是，我兴致大发，要带上一对 12 磅重的哑铃，因为我刚刚练出一点肌肉，可不想在中国又变回脂肪。

我特意带了一个几乎没装东西的空箱子，计划在中国大采购。我琢磨着，如果在中国能解决了所有在学校穿的衣服，那我可就省了一大笔钱。而且，中国的衣服样式非常独特，在美国，所有人穿的都是千篇一律的牌子和款式，不是 GAP，American Eagle，就是 Abercrombie and Fitch，等等。我想穿真正的中国传统衣服，可以显出我的独一无二。

我从旧金山的全国医学青年论坛回来两天后，就和妈妈出发了，真是马不停蹄。爸爸那时已经在中国了。要离开后院的鲜花和草坪，我有一点点难过，但是一路想着外婆、外公、表兄、表妹，想着中国，这种感伤就被驱散了。

深夜。我们在上海降落了，疲倦不堪，心情烦躁，又辨不清方向。爸爸的一个朋友本来要来接我们，但是联络不到，我们只好自己打车。哇，简直吓坏我这个小气鬼，花了一百多块钱呢。

爸爸的另一个朋友胡叔叔被美国公司派到上海工作，我们就住在他家位于浦东的豪华公寓里。我一头扑到床上。现在已经在中国了，但我的意识里还没有接受这个现实。那天晚上，我睡得很不好，噩梦不断。好像不是个好开始哦！

第二天，久违了的中国清晨的忙碌脚步声轻轻把我唤醒。我躺在床上，微微笑着，静听汽车喇叭声、摊贩的叫卖声……在家里真好，我想。不对，我又想到，家在奥林匹

亚。但是，还是不对，这里也是家。

我跳起来，开始了新的一天——去南京路购物。我们乘坐地铁前去，这可真是新鲜的经验，因为在美国我只坐过一次地铁。潮水一样的人流和喧闹声，很快就把我同化了，好像我天天如此，生活在中国。当我走出车站，步入南京路，看到两个白人背着旅行包、拿着地图招摇过市，我不由自主地把他们定义为"外国人"——我已经完全成为中国人了。

我和妈妈开始狂热地购物，我们在每一家店都买衣服——我在刚开始的半个小时就买了三双鞋。剩下的这天真是老天保佑。我喜欢砍价，更胜过真的买东西。这一天结束的时候，我们浑身上下挂满了购物袋，不停步地走了8个小时，脚疼得要命。像前夜一样，我很快就睡了，但是这一次，睡得很香。

第二天，我们飞去成都。我被成都机场的富丽堂皇惊呆了，就好像以前的一个牛羊集市变成了一个高级的技术奇观。两年，对巨变的中国是很长的时间啊！

我们去了爸爸讲学的大学，住在那里的一个宾馆。在那儿，我第一次有了自己的房间。我觉得自己长大了，完全可以独立。我把所有新买的衣服摆在床上，和我的美国衣服摆在一起，看怎么搭配最成熟又自然。

那天晚上，开始了一轮美食盛宴，把我沉睡的味蕾唤醒，进入到火爆、热辣、美味的四川菜里面。告诉你啊，我妈妈是一个好厨师，但是在中国有这么这么多种多样的新鲜配料，我有一个强烈的感觉：在这里，绝对可以提高烹调技术。

清晨，我尽情品尝新鲜蘑菇，旺火煸出的青菜这么好吃，真让人惊讶——我是在一个美食天堂啊！美国超级市场的植物激素喷射出来的蔬菜水果，和中国自由市场上水灵灵的农产品根本没法比，一个是阴影一个是阳光。我对着堆成小山一样的

新鲜水果直流口水，逼着妈妈买了一大袋鲜灵灵的水蜜桃，狼吞虎咽地塞到肚子里，简直顾不上后面还有一顿丰盛的正餐。

第二天，一个阿姨带我和妈妈去三星堆——三千年前的文明遗址。天气异常闷热，从空调车里走出来，雾蒙蒙的热浪"呼"一下包围过来，我差一点晕过去。虽然聪明地涂了厚厚一层防晒霜，但是很快我就发现，如果不想晒成人肉干，就必须采取中国式的防晒策略。我们下车后，第一时间就买了一顶帽子，抓了一把到处叫卖的太阳伞。

我刚刚适应了外面的酷热，又被博物馆里过分体贴的冷气冻死了。但是，迷人的文明史让我忘了室内的冰冻温度。我沉醉在令人惊异的文物面前，有一搭没一搭地听着导游的讲解。通常，一想起三千年以前，我眼前就浮现出这样的场景：浑身长满了毛的、没有开化的猿人到处乱跑，手指抠着鼻孔。但是这些人却不是这样难以想像、高深莫测的形象，他们能够举行复杂详尽、智力很高的敬拜仪式。真高兴我的祖先不是只知道吃、睡、狩猎和拉屎。

回到中国也有不好的地方。我很快就产生了一点小毛病和烦恼。第一，在成都，我迷上了杏干，每天都成袋成袋地吃。我尝了很多种杏干，最终选定一种，每天要吃好多，放在伸手可及的地方。我上瘾了，就像人们对咖啡上瘾一样。

第二，我已经不习惯公共汽车上、十字路口熙熙攘攘的人群，和推推搡搡后不道歉的行为。为了省钱，我坚持和妈妈乘坐公共汽车，没想到这让我越来越讨厌。座位是坚硬无情的塑料做的，空气污浊闷热，我被污秽的车厢表面上的臭细菌感染了皮疹。但一想到能节省钱，我就变得坚强起来。

我要提到的另一件事情可能会冒犯有些人，尽管我不是在对谁评头论足。我知道，中国人口众多，很难体谅他人、礼貌周全，这可以理解。但是，已经习惯了在美国对任何一

123

点点小事情都说"I'm sorry"，使我对成都人粗率生硬的态度非常敏感。我妈妈说，他们只是心急，并不是真的那么有恶意。但是我往往就火冒三丈，在一个粗鲁的人的背后怒目而视，以此发泄我的怒气。很多次，我暗暗压着喉咙骂不好听的话（这些大多数是我的表哥教我的），妈妈说我的汉语粗话已经大有长进。well，想要完整地感受中国，我也必须在中国骂人！

还有一些事情让我愤愤不平。相对于 17 岁的年龄，我显得又矮又小，很多人把我当成一个小孩子。在美国，当人们发现我已经很成熟了，足够通情达理，就会把我当做成人看待。可是，中国人不管我的行为多成熟，还是把我当成一个小孩子。我父母的朋友们经常把我叫做小朋友，这可把我骄傲的自我惹翻了。

一次，和爸爸的几个有钱朋友一起去吃一顿豪华午餐，一位女士建议说，也许我们应该在西餐厅而不是在中餐馆吃饭，因为"小朋友更喜欢"。我真是太有礼貌了，要不然一定会勃然大怒。我无声地瞪着她，压抑着愤怒，捏得关节"嘎嘎"直响。我想，也许我是太敏感了，我不应该这么咄咄逼人，因为这是文化上的问题……但我还是耿耿于怀，甚至美味的饭菜（包括很多道菜，换了十次盘子）都不能让我舒服一点。

虽然有人盛情款待、车接车送、饮食奢侈，我像一个被惯坏的城市公主，但是我真正想做的是和我外婆、外公在一起。我盼着能见到他们，还有我最喜欢的姨妈和表妹，盼着见到我出生的地方——雅安，就像美国人渴望着一份香气四溢的牛排，或者中国人渴望着一笼热乎乎的香包子。那是我的家乡，像桃乐丝在《绿野仙踪》书里说的：没有一个地方能比家更美！

第10章

中国之夏（下）

　　我们的家族里，只有妈妈、爸爸和我住在美国，除非你要算上我妈妈的表妹（她住在纽约市，我从不认识，我妈妈也没有真正见过）。这种感觉好孤独啊，尤其是听到朋友们谈起去祖父、祖母家度过感恩节，或者参加家庭聚会野餐的时候。甚至在华人里面，我们这样的情况也不多见。到处都听说有奶奶过来照顾孙儿孙女，或者兄弟姐妹一个跟着一个，相继来到美国。

　　当我想到家庭，不是想到在美国华盛顿州的奥林匹亚的家，而是想到在四川雅安，在中国的家。那是我的外公、外婆，我最亲的小姨、最喜欢的表妹、我的四舅和我不那么亲近的表哥生活的地方。妈妈其他5个兄弟姐妹分散在四川各地，大多数都已经多年未见了，她甚至从来没见过我五姨。我都不知道我到底有多少个表兄弟姐妹，更别说叫出他们的名字了。美国人听到这一点，经常会大惊失色，我也经常觉得心里一阵难过，还会觉得羞愧、内疚，不知道为什么。

　　花开两朵，各表一枝。我爸爸这边的亲属我就知道得很清楚，因为他们都住在成都。我寡居的奶奶真是个特别的人物，是出身于买办家庭的小姐。她从来就不知道自己已经不再是60年前的娇小姐了，还经常会无缘无故地发脾气。（这里被她爸爸掐掉了一句。——编者注）

　　总的来说，虽然我知道应该一碗水端平，但是我就是更喜欢外公、外婆。他们在我幼年的时候抚养过我，从那时起，感情就深深地扎根了。

　　我跟妈妈一起去雅安。我每次去都有点紧张，因为两年了，变化可能会大得难以想像。外公警告我妈妈说，她可能再也认不出老房子了，因为周围已经完全改头换面了。为什么会变化如此巨大呢？我想起枝叶繁茂、树阴浓密的桑椹树，多刺、速生的灌木丛中点缀着芬芳的吊钟花、葡萄藤，稻田里不知疲倦的蛙叫，唧唧不停的蝉鸣。

章 中国之夏（下）

虽然路上的大部分时间我都睡过去了，但是一进入雅安，我就清醒了。我注视着窗外熟悉的景色。大片大片、葱葱郁郁的稻田向远方无限延伸过去，农家小孩坐在路边，伴着他们的牛羊。我苦笑着想起所有西方人想像中的中国式图景——这就是一个完美的例证。

我们已经开始接近城市，我的心又一次开始"怦怦"直跳。我什么都认不出了，变化已经迅速地铺遍了整个雅安。我迷失了方向。车驶近外公、外婆家的时候，轮到我大吃一惊了。这是哪里？原来满是坑坑洼洼，路边长满了植物的老街道，现在已经让位给栽满新树的彩色人行道和平坦的柏油马路。原来绿荫荫的树丛已经被伐掉，使新建的大学公寓楼裸露出来，直接临街。

外公、外婆出来迎接我们，熟悉的脸上挂着微笑。他们没有变，看起来更精神了。但是我的表妹朱钦却彻底变了。以前她是个假小子，现在看起来简直就是个大小子。我妈妈说，她看起来很像 F4 里的某一个，表妹好像也挺为此骄傲。尽管我们的偏好完全相反，我们还是很快就亲近了。well，不这样也不行啊，想想，我们将要在一张大床上睡一个多月啊！

在雅安的日子过得飞快。我开始认真地复习我的 SAT 专题考试，写作申请大学的美丽短文。不幸，闷热的天气让我身体慵懒无力，脑子像塞住了油一样不灵光。为了清除这种感觉，我每天清晨都出去在街上慢跑，所有雅安的好市民都盯着我看，好像我是个外星人。这里的女孩子从不晨跑，男孩子也很少。我才不介意这个呢，因为跑步可以让我有时间沉思，审视周围的环境。

下午，我会在阳光下走很久，观察中国的日常生活，希

127

望能收集和吸收一些东西，作为写作的灵感。我看到摊贩沿街叫卖货物，农民把他们的产品拉到市场，人群流动不息，这都是在美国从来没有见过的。我很高兴自己不是处处被照顾的美国人，不是只住在高级酒店里，只参观那些固定的观光点。因为这里是雅安，我可以不被人注意地到处走动，混在当地人中间，看见真正的中国。不是旅游手册上的中国，也不是西方想像中神秘的中国，而是这个国家的心脏和灵魂——就蕴藏在她的人民中间。

一有机会，我就陪着妈妈走街串巷。我最喜欢的消遣就是四处搜寻做菜的原料，怎么也买不够这么多新鲜的农产品。光滑的小黄瓜，舒展匀称的蘑菇，新宰的小鸡，酱紫色的茄子，丝一样柔滑的豆腐。我迷上了和摊主讨价还价，我的砍价本事最终被高手姨妈啬啬地肯定了。

我甚至喜欢和我妈妈的高中同学闲逛。（她们经常招待我们吃饭和旅行哦。）我的干妈从海南过来，她常常请我们去茶馆。我在那里打发掉一个个晚上，吃瓜子，过杏干瘾，听着女人们的陈年闲话，或者是失败的婚姻、调皮的孩子。清凉的青衣江轻轻流淌过城中，我沿着河堤漫步，江上的凉风使白天的炎热消褪无踪。

我希望永远也不要离开这个田园牧歌、得天独厚的家乡。多么幸运的女孩啊，我拥有最好的两个世界！但是，不是任何事情都这么如诗如画。妈妈，感谢上帝给她智慧，知道来中国是教育我人生课程的好机会。妈妈经常跟我讲起文化大革命时期的农村生产队，作为一个下乡插队知识青年的艰难，讲起留在乡下的农民朋友。所以，她的一个插队时的朋友组织了一次乡下两日游，探访她们各自的生产队，安慰一下她们的旧日情怀。

一个微风吹拂的清晨，我们九个人塞在一辆小旅行车

里，"轰隆轰隆"开进农村。在到达的第一个村子，我得到一个新鲜的经验——一个真正的农村送葬仪式，放着鞭炮。当送葬队伍吹吹打打走过街道的时候，我们参观了当地的卫生站。

我早就知道，中国乡下的医疗状况很差，但是现实还是让我很震惊。药房严重缺药，设备破破烂烂，到处都有碎玻璃。手术室更吓人，床很不干净，粗糙、暗淡无光，仪器陈旧得好像是文革时期留下来的。水池锈上了脏东西，虫蛀了的木床让我想起一个呼啸而来的魔鬼。看着简陋的、带着褪色皮架的分娩床，我想我宁可死了也不愿意在这么不卫生的条件下动手术。

但是，这就是村民们拥有的全部，是他们所知道的世界上的全部，而且，他们接受了。我心里充满了对医疗条件的悲哀和对中国农民的钦佩。我只希望可以把美国朋友们和好多自私自利的小孩带到这里来，让他们看看那么多人的生存现实。我想起自己做义工的圣彼得医院，严格的洁净、最现代的技术，老天太厚爱我了。我暗自许诺，即使不能成为一名医生，我也会到中国来，尽我所能帮助农民。我不能只顾自己舒舒服服地活着，漠不关心别人的痛苦。

剩下的旅程里，这样的想像折磨着我。以前，我曾经因为一点小毛病、小伤口、头痛、擦伤就抱怨个不停，现在想起来非常惭愧。即使明天是夏季最热的一天，我也尽力不发牢骚。

但是，就算想到农民在烈日下耕作，也制止不了我在跋涉了几英里以后的完全崩溃。我就是走不动了，然后开始哭。从来没有经历过这样的高温，我真的要中暑晕倒了。妈妈紧张得要命，拦住一辆拖拉机，冲向最近的一个小镇。她在那里给我做了一个最讨厌的中暑治疗。喝下讨厌的、苦苦

的中药和整整一加仑冰水，很快，我活过来了。可怜的妈妈深怕我有什么意外，吓得半死。

回到雅安之前，我们还有一项任务，就是去探望一个特殊的家庭。妈妈的朋友——一个中学老师，以前对我说起过一个她最喜欢的学生，他父亲因车祸瘫痪了，母亲加班工作也被制茶机器弄断了手。一个非常出色的学生，现在却是家里惟一的劳力。我觉得这太糟糕了，他和我年龄差不多，在他前面应该有一个美好的未来。我跟妈妈说，以她觉得合适的方式帮助他们吧。

我开始反省自己有多幸运，有一个多好的家庭条件，不用担心要辍学去担起家庭的重任。然后，我为命运的不公而愤怒，把这样的厄运降临在这样的好人身上。与此同时，我也明白，这就是生活。生活就是不公平的，永远都是这样。我们必须生活在现实之中，但是我们不一定要听从命运的摆布，我们可以用自己的努力、信念、希望去改变命运。

返回美国的时候到了。坐在飞机上，我觉得前所未有的沉重。是的，我会想念那些好吃的、购物中心、亲戚朋友。但更重要的是，我觉得留下了等待完成的工作。因为仅仅观看农村的条件是不能改变什么的，某一天，我还会回来的，我知道。只有时间横亘在我与目标之间。

老爸评论：

黄色的脸

Kate 有很强烈的中国文化情结。她看了许多关于中国的书，对中国朝代的了解恐怕不少于中国同龄人。她喜欢中餐、中国工艺品和服装，对旗袍情有独钟。你也许奇怪，谁会不喜欢中餐呢？许多华裔美国孩子就不喜欢中餐，他们喜欢垃圾食品，如汉堡包、比萨饼。Kate 在家讲四川话，也可以讲普通话。她喜欢中国音乐，收集了盛中国、俞丽拿、汤宝娣的《梁祝》CD。她穿着中国旗袍竞选华州美少女，她按中国传统叫"叔叔"、"阿姨"。

美国是个多元文化的移民国家，这里不要求你放弃自己的民族文化，而是需要你贡献自己的民族文化。这一点恐怕为傲慢的三 K 党员或个别自卑的华裔所不同意。华裔后代，如同阿拉伯裔和犹太裔的后代们，在这里学会和谐相处，建设一个多元文化的社区。

华裔孩子们会不同程度地寻找自己的来源。小说《根》的作者、美国黑人作家亚历克斯·哈里说："所有的人们都有一个发自骨髓的呼喊，想知道自己的民族传统。想知道我们是谁，我们从哪里来。没有这个根基，就如同水上浮萍、天涯游子。无论我们成就何等伟业，无法摆脱的孤独将伴随

我们。"

Kate 生在中国，长在星条旗下，5 岁来到美国，她怎么看待自己的文化身份呢？下面是她近期写的一篇文章，表达了自己的内心历程。我把它翻译如下：

当我 5 岁来到美国时，我让自己相信：一个华裔移民在美国的幸福就是汇入主流社会。我是非常成功的，除了我的黄脸蛋。我取了英文名字，吃比萨饼，看卡通片。当然我还是华人。身为华人，无非意味着我没有艾德娜婶母做好吃的点心，没有像嬉皮士一样发酷的父母。

其实，我根本不认识中国的七姑八姨，而且我的父母太古板。在我追求融入美国社会的过程中，我拒绝认同父母那些悲剧性的经历，作茧自缚地陷入良心平安的无知之中。我压下任何把自己和中国联系在一起的潜意识，因为我想成为一个完全的美国人。然而，这种渴望没有消失，时常在我的心中掀起涟漪。

当我进入少女时代，这种悬念变得挥之不去。如许多美国人一样，我因为无法给自己定位而挣扎，我这个美国苹果派困惑了。我不知道怎样平息这个挣扎，直到我读到了亚历克斯·哈里的挣扎。我终于理解，"发自骨髓的呼喊"和"无法摆脱的孤独"产生于我对民族文化的无知之中。

我是哪一种人类？如同一个被收养的孩子渴望发现她的生母，我想发现自己的民族，它藏在过去、藏在我的家庭生命和许许多多多的华人之中。我不断地询问父母，阅读大量的中国历史和文学。我现在理解了为什么我爸爸在文革中被迫失学；为什么他的父亲在文革会被迫自杀；为什么我的妈妈会被送到农村接受再教育；为什么她的母亲会被送到乡下去劳动改造。理解这些悲剧使我知道自己的独特性，我的文化继承的重要性。它们不再是环绕我心中的幽灵，而是力量，这力量造就了我的今天。我的传统不是羞耻而是光彩。

我的文化意识让中华在我心中活起来了。当我再次去到中国时，我不再是一个花钱的美国旅游者，而是中国人群中的一员。我访问了乡下，活在现实之中，续上了我的中华文化，我的归依。我现在为自己的文化传统感到极其骄傲，它给了我双倍的未来。

我珍惜学习，比起中国学生来，我有自由的课堂讨论、先进的设备和免费的高中教育；我珍惜物质，因为我有了中国农民世世代代都没法得到的东西；我珍惜生命，因为我的家庭中有人和许多中国人一样曾经因为艰难而早逝。我要实现作为一个华裔美国人的潜力，去建设中美之间了解的桥梁。我不再是一个怀有偏见、失去方向的孩子，我是一个了解自己、决心坚定的年轻女性。

我爱自己的中国文化。中国文化、人民和历史——他们是我的文化、我的人民、我的历史。美国是我的收养母亲，把我养大，中国是我的生身母亲，她总是在笑看我。通过增加我的美国经历，深入了解我的中华文化，我希望多彩的将来和伟大的方向让自己的人生更丰富。

看到 Kate 这篇文章，让我想起以前送她学中文的曲折，她对中文没兴趣，十年下来不能读不能写，中国文学作品是看英文版的。现在，Kate 说以后到了大学要修中文课，一定

做到会读、会写。

　　现在她回到中国，总是收集父母两家的历史资料，外公和奶奶都愿意在去世后把家里的老照片留给她保存。她还希望回到爸爸老家，把家谱找到，复制一份带到美国。我和她约定，从现在起保存家庭历史资料，照片呀、文件呀，编写家史，她把这些资料转交给下一代。几百年过去了，后代们能够知道我们来美国前是在什么地方住，我们在美国最初所经历的生活。是呀，Kate 有一天会当外婆、奶奶的，孙子们读着这本书，知道美国的外婆原来也有过中国外婆、奶奶。

　　2002 年夏天回中国时，我们制定了一个计划，就是了解四川农村的医疗状况，看看 Kate 能够做些什么来帮助农民。譬如，能否动员美国医学院的学生到中国农村去做义务医生，就像当年的赤脚医生，或申请盖茨或爱伦基金资助中国农村医疗，改善农村的缺医少药的状况。

　　Kate 对雅安的农村和城市医院做了调查。中国农村医疗状况已经唤起她的同情和良知，她没法只顾自己舒适地生活还能做到心安理得。我希望她有良知，关心弱势群体和社会公益，而不是做只顾自己的知识精英。

　　做过美国副总统的尼尔逊·洛克菲勒可以说是有钱又有势，他说，我们有幸得到了大一点的画布，多一点颜料，对我们的期待也就多一些。多一份权利，多一份责任。

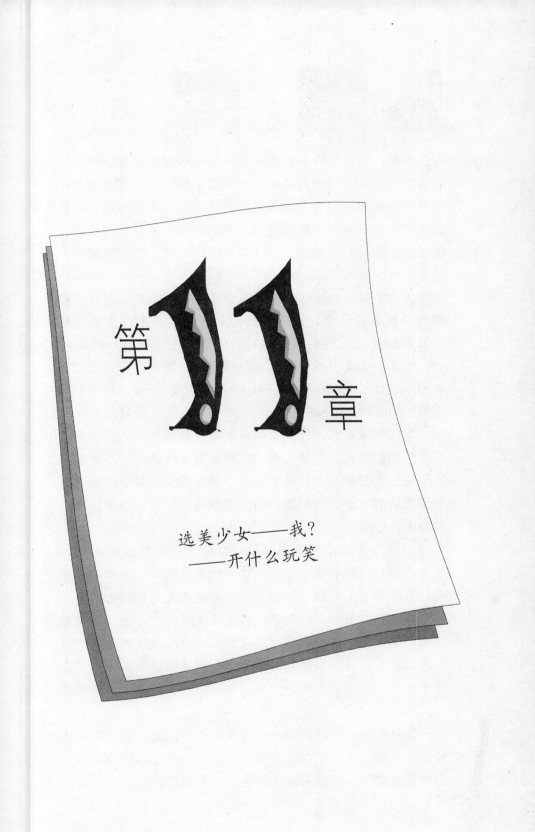

第11章

选美少女——我？
——开什么玩笑

以前，当我觉得容貌美比其他任何事物都更赏心悦目的时候，我痴迷上了观看美国小姐竞选。我会魂不守舍地坐在靓丽照人的屏幕前面，看着这些面容姣好、轮廓鲜明、才情出众的女人在舞台上飘然走过，她们穿着闪闪发光的礼服、比基尼，恰到好处地展示出她们婀娜的身材。她们微笑着，好像生命因此而存在。

虽然华盛顿州小姐从来没有进入过全国决赛，但我一直很喜欢其中的一位，她不同于其他人，她有着浅黑色肌肤（我以前就是，现在还是这样），是对金发白肤小姐的挑战。但是，选美世界归根到底不是我这一国的，离我安适内敛的小世界、离我朴素单调的生活太远了。所以，我做梦也没有想到会成为她们中的一员。

等我慢慢长大，看透了有些世事，就开始对这样的肉体狂欢节翻白眼。我相信，评判的标准更多地倾向于身体美，而不是心灵智慧，尤其是夏威夷小姐靠跳莫名其妙的呼啦舞拿到奖项的时候。这种舞，我闭着眼睛也能跳。选美比赛，一句话，恶心。

五月的一天，阳光普照，一封给我的信特地送到了学校。里面是一封参选"华州美少女优秀学者"的邀请信。起初，我以为他们弄错了，因为我又不是美女，如果去选美，大多数人都会笑死了。但是，我继续读下去，小册子上特别说明，这不是选美比赛，而是奖励出类拔萃的优秀学者的节目。现在，我轻而易举地被打动了。当读到迷人的一行"在成千上万的年轻少女中，你被特别选中了……"时，我晕倒了。

我对爸爸妈妈说，这将是一次宝贵的经验，而且可能大有油水，因为奖金有好几千美元呢！他们看上去将信将疑，但是爸爸觉得，对我来说这会是一次有意思的经历。现在只有一个问题——需要 450 块报名费。好吧,我还想怎么样?选美组织者也要赚钱生活的!

我寄去了一份申请材料,然后,等待回音。当我在"女生之邦"的时候,确认邮件到了,还附有一个关于如何筹钱的说明。我背地里曾经希望爸爸会出所有的钱,但是后来我明白,他之所以让我去,就是希望我自谋生路。然后,我就有了"讨钱"的经历。

我在接受还是拒绝之间摇摆不定。我真的想低下头去拉赞助,在大人面前卑躬屈膝吗?我可以忍受被人拒绝吗?我应该向谁拉赞助?然后,我想到了得奖。当然了,这也是申请大学的一个亮点,然后,天平倾斜了。oh,好吧,失去小小一点自尊,可以带来一次性格训练。

我搜集了所有可能的赞助人名单,开始了我的"乞讨"生涯。奥林匹亚市是一个好地方,那里有许多愿意支持学生的小公司,尤其是商业区。所以,在一个洒满阳光的温暖下午,放学以后,我小心翼翼地把自己打扮成天真烂漫的样子,穿上颜色柔和悦目的裙子、衬衫和收敛的鞋(如果想显得天真的话,高跟鞋就太恐怖了),化了淡妆,在脸颊上敷了一层粉红,练习了我的演说(那是从小册子上背下来的)。确定指甲上紫色的脏脏的指甲油(那是我涂着玩的)已经洗干净了,冲着镜子里做出一个娴静的笑容,然后,我出发了。

第一站是爸爸的保险经纪人,一位友善、富于同情心的女士。她给了我 50 块,这是我期待赞助人的平均金额。初战告捷,我很受鼓舞,蹦蹦跳跳地到了商业区,拜访曾经吃过的亚洲餐馆。我去的两个餐馆都给了我 50 美元,两位老板娘人都很好。一个餐馆里的年轻女士还说,我让她想起她妹妹,一个始终积极进取的优秀学生。

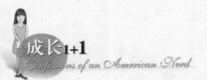

旗开得胜，我觉得自己吉星高照，应该乘胜前进。但是，不幸的是，我高兴得太早了。接下来的几个公司都毫无成效。是啊，我还是鹦鹉学舌一样把册子上的东西演讲一番，解释说那不是选美等等，但是遭遇到的却是礼貌而坚定的"不"。有相当一些大人宽容地笑着，好像在想，"那不是选美比赛"的解释显而易见是个愚蠢的借口，事实根本不是这样的。一些女士很有礼貌，不直接拒绝我，只是说，她们要"和经理商量一下，然后给你回话"，当然她们不会给什么回话的。随着失败的名单越来越长，我的甜美笑容也开始机械化了，快活的脚步也拖拖沓沓了。我不是想出风头啊，我就想要钱！

一点不意外，我的大多数后盾都是亚裔。不是说其他种族的人歧视我，但是我想，亚裔人之间，有一些共通的情感，潜意识里的同情，能够将心比心。我还从奥林匹亚华人协会、华裔加油站老板和我的天才朋友哈尔那里分别接受了50块，哈尔认为我参加这样的节目就当是个游戏。他比我的女朋友们更能理解我，我的女朋友们想像着我在参加选美比赛便大笑不止，她们相信节目肯定是选美。

最后，剩余的几十块钱由爸爸与他人新成立的咨询公司出了。现在，我的钱齐了。我想，这次请求捐赠不是一次负面经历，因为我学到了谦卑，与人交往，学到了忍耐和坚定，这些都已经使我得到了回报。我反省自己，不管这个节目怎么样，最重要的一部分已经结束了，我胜利了。我把我的骄傲、我的优越感和腼腆放在一边，做了5年前即使塞钱给我都不会做的事情。

中国之行正好插在募捐和节目之间，所以我很容易就忘了这件事，最后一分钟才想起，必须得写一份简历。于是，我读了从美国传真过来的说明，着实吓了一跳。我必须有：

一件晚礼服、一双手套、白色网球鞋、红白服装（为跳舞用的……听起来真像选美国小姐）。哦，我强咽下一口气，好吧。晚礼服好办，我可以穿那件新定做的红色真丝旗袍，独特，而且不会和别人撞车。

回到美国以后，我翻箱倒柜地寻找舞蹈服，从体操队的朋友那里借了手套和鞋。节目在我回来后的第一个周末，在常青州立大学举行，还有 5 天时间可以准备。但是除了记住我们要跳舞的那支曲子，我什么都做不了。慢慢地，我如梦方醒，太可怕了，整件事情——艾米丽是对的——就是个选美比赛。

爸爸妈妈陪我去报到，那里已经曲曲折折排了很长的队伍，女生和她们的父母在那里等待。我注意有戴人工指甲的金发女孩，有身体健壮、比我爸爸还高的黑发拉丁女孩。感谢上帝，也有智慧型的女生。上届"华州美少女"是一个窈窕可爱的金发女孩，她也是"美国美少女"，是美国人梦中女孩的完美形象。哎呀！在她耀眼的白色肌肤面前，我觉得自己缩小成了一个丑陋的黄色侏儒。我变得非常沮丧，拒绝买一件 T 恤来支持这次节目。

爸爸妈妈把我安顿在宿舍里。我关上门，躺在床上，瞪着天花板。惟有同宿舍女孩子们喧闹的敲门声才把我从床上拉扯起来。她们人很好，但是太太太脸谱化了。热情、快活、友好，容易亢奋。她们也许认为我是个异类，躲在自己的房间里，不参加她们的活动。我不在乎。整件事从头到尾都太傻了。在这些女孩中间，我永远都不会赢的，我们不是一类人。那里还有一个亚裔女孩，但是，她也是她们中的一个。

那天晚上，吃过饭后，我们进行综合知识考试，这部分成绩只占总分的很小一部分。主管不满意地说，平均分数才

139

是 20% 左右，我为这群人难过，尤其是考完以后。如果任何一个人脑子足够清醒，经常看新闻，回答这些问题就太容易了。我 10 分钟就做完了，假装打瞌睡混时间，等着所有的人都做完。

然后，我们被带到一个普通房间，举行一个"认识彼此"的 party。要求我们在刚买的白衣服上签名，但是那太无聊了，根本没有人会穿这些衣服的。我在原地逗留了很长时间，认识了一些女生，一个是运动型女孩，也对整个喧嚣很看不惯；另一个就是那个亚裔女孩；最后是一个傲慢的、小巧玲珑的、像芭蕾舞演员一样的女孩，你也许会想，她应该会赢。说真的，她看上去好像嫁给芭蕾了——她有高贵的鼻梁，固定的姿态，纤细的手指，优美的步伐。

第二天早上，我不情愿地爬起床，睡眼朦胧，狼吞虎咽地吃完早餐。接踵而来的就是两个半小时恐怖的舞蹈练习，这让我后悔死了。这就是"美国小姐"干的事情！选的音乐非常粗俗，舞步卖弄天真的性感和甜美的姿态。我已经做好准备，在一个小时的塑胶笑容和摇摆舞之后好好吐一场。太恶心了。

当我走回房间的时候，真想大叫一声，发泄我的挫败感。这就是选美！"优秀学者"只不过是一层薄薄的面纱，我太蠢了，居然会相信她们。该怎么办？就在我脑中不断呻吟的时候，一个念头划过脑海：我会做她们让我做的所有事情……我会进入决赛圈，但不是因为我想这么做，而是因为我想让所有人看看，像我这样的书呆子可以做出 180 度的大转弯，可以征服这个人为的制度。被这个峰回路转的报复念头武装起来之后，我高高兴兴地跑下楼去吃午饭。

午饭过后，是评审大餐。给了我们一点时间参加面试，展示"个性和仪态"比赛。我第一个面试，但是，我有大把的时间做准备。我选了一件印了白花的黑裙子和衬衫，这是在上海买的很精致的一套，配一双黑白相间的凉鞋（也是上海的纪念品）。然后，在庄严的气氛里，我走进面试间，不理睬那些"哈哈"傻笑的女孩，她们正对着一个很帅的面试官流口水。我用一种独特的方式，沉着、冷静又意味深长地回答了面试官。我的意思是，我用很高的技巧回答问题，但又显得非常随心。在"女生之邦"赢得官职的那个政客 Kate 又接管了我。她自信、成熟的发言毫无畏惧，坦白得动人。可以说，那两个女士被打动了。而且我离开的时候，还不忘优雅地回头，因为一个主管说过，在我们完全退出之前，她们一直在评判。

第一回合胜利。

"个性和仪态"比赛只不过是晚礼服表演的一部分。你应该看看我的室友，连午餐都不吃，用这点时间涂指甲、卷头发、剃毛，把自己弄得香喷喷的。所有人都特意为这次机会买了几百块钱的丝缎礼服，颜色明快，但毫无创意。我只花了半个小时换衣服，略施淡妆，走到评判台。那天早上，我们已经练习过优雅的台步。我在舞台上完成了无瑕的、轻飘飘的步伐，向评委们可爱地微笑。妈妈和室友们后来对我说，她们为我的仪态吃惊——从来没见过我这个样子。我内心微笑。

第二回合胜利。

谋事在人，成事在天。现在，我不能控制决赛选手的产生。我非常松弛，那天晚上很早回到宿舍睡觉，而没有跑到其他寝室去聊个通宵。我肯定，那些可敬的女孩们一定在悄悄议论着我的沉默寡言。但是直到那个时候，我还是一点不在乎她们对我的看法——我与自己同在。当她们彻夜闲话的时候，我美美睡了一觉。

　　第二天早上，我早早起来闲逛，吃了一顿丰盛的早餐。有几个女孩看起来非常紧张而憔悴。早餐后是晚礼服排演，如果进入半决赛，我们应该怎么走。最后一轮令人作呕的舞蹈之后，我们被放出来，回到房间打扮自己。像往常一样，我的室友独自霸占了洗手间，我埋头看小说，直到最后一刻。

　　看每个人都走了，我起身把自己打扮得很可爱，把礼服拎到体育馆，不到一分钟时间，就把自己压缩在旗袍里，套上我的绣花鞋。有一点点紧张。我跑到后台的化妆间，在那里，所有的女孩以她们最华丽的装扮集中在一起。

　　观众开始坐满了，我让自己镇静下来，徒劳地开始写半决赛选手的演讲。然后，表演开始了。

　　当和其他女孩子在音乐声中跑出去的时候，我终于把自己镶嵌进这幕荒唐的场景。我，Kate Wang，正式参加了选美比赛，最糟糕的是，我准备进入决赛。不，我不是盲目得意，我心底知道，我肯定是最后的优胜者。

　　我们坐了下来，等待公布半决赛选手。喇叭里传来了我的名字。一点也不意外的。我优雅地奔上舞台（如果一个人能穿着旗袍奔跑的话）向观众胜利地微笑。我的同伴有智慧女孩（她是犹太人）和运动女孩，我们都没有预料到。当然了，还有必不可少的金发女孩，特别是那个芭比娃娃。

　　轮到我在半圆形舞台上发表讲演了。我想起了处心积虑的取胜目标，滔滔不绝地流出我的演说词（关于作为华裔美国人的好处，以及试图建造“理解的桥梁”）。其余的女生都在大谈特谈 GPA 成绩、业余爱好和课外活动。但是，我知道评委的哲学，我在迎合他们的心思。

　　当评委们退席讨论最后五个获奖者的时候，其他单项奖颁发了，天分奖、学识奖、才艺奖、艺术奖等等。那个芭蕾女孩获得了艺术表现奖，没进半决赛，她还是有点闷闷不乐。不知为什么，我很为她感到难过，但也就一小会儿。我开始忙着琢磨，作为一个优胜者应该怎么办。我肯定会被选中的，对不对?

　　yeah，完全正确! 是说真的，我是五名决赛选手之一，和芭比娃娃、西雅图莫瑟岛来的犹太女孩一起。奇怪，我没有欣喜若狂……甚至不紧张。实际上，我有一点惊讶。如果赢了怎么办? 我该怎么办? 从愚蠢和现实的角度，该死的，我现在饿了。如果我赢了，就必须待久一点，我的胃会饿得裂开了。

　　对对对，这些想法听起来很荒唐，但我就是在认认真真地想这些。我真的想赢选美比赛吗? 我的意思是，对我来说，它能证明什么? 我可以忘记我的书呆子相，变成一个拉拉队员吗?

　　嗯……我不知道该怎么办，对自己诚实，还是征服某物、增加简历、改变社交形象? 等待着回答最后一个问题的时候（是的，正像美国小姐一样），我内心激烈地斗争着……但是我无法决定。

　　问我的问题是"如果你对老人和孩子说一些话，你会说什么?" 真话冲到我嘴边，这也是解决内心战争的方法。我知道评委想要什么……关于爱、煽情的甜蜜废话，但是我不想说这个。相反地，我很快以"关注他人"为重点做了回答，我知道，很多美国人为他们的财富所困，而不知道世界范围内的贫困，不知道我在中国农村看到的那些艰难。我知道，我赢不了了，但是我不在乎，我只是想让观众们听到我内心的想法，不是可以让我赢的废话。

　　我现在心满意足了，依旧冷静庄严地等待结果公布，也不愿和其他紧张兮兮的候选人手拉手。well，结果一点不奇

怪，我拿了 Fourth Runner－up（说白了，这是五个人中的最后一名），但是芭比娃娃把犹太聪明女孩挤出去，拿走了第三名，简直气得我发疯。冠军是一个传统标准的美国人，金发、骄傲坚挺的鼻子，太不奇怪了。那是所有人在潜意识中期盼的结果，也是她所获得的。

后来，爸爸妈妈告诉我，其他人都在谈论爱、和平等等。我不在乎。我为我自己骄傲，而且，马上就可以吃饭了，我特别高兴，滑稽吧？我没有在台上徘徊，只是很快地和爸爸妈妈合影（他们非常惊喜），和新出炉的"华州美少女"拍了一张照片，就换上了便服，把爸爸妈妈拖出去了。去往停车处的路上，一位老先生追上我，粗声说："我觉得你是最棒的，你回答那些问题真是非常敏捷！" well，至少除了我父母之外，还有别人欣赏我！

在车里，我开玩笑说，简历里又可以添上一笔了。但是，我告诉爸爸妈妈，我不真正地为此高兴。爸爸非常理解，他说，在整件事，自始至终都不是"我"。晚饭（好吃的墨西哥菜）后，我们讨论那一年我所取得的成就，我学会了许多才艺。我前进得这么快，大家该有多吃惊啊！

我的意思是，我这个被认为是书呆子的人，进入了选美比赛的决赛。我可以想像朋友们怀疑地从鼻子里"哼"一声。这让我轻轻一笑。我不会告诉她们，我不会告诉任何人，除了艾米丽。如果有人碰巧看到了新闻报道，就顺其自然吧，但是我不会在学校吹牛，炒作我的形象，甚至私下里也不干。做我自己，我就满足了，我不想成为另一个人，即使那意味着拥有更激动人心的社交生活和更多男孩的追捧。我就是我，什么也不能改变！

老爸评论：

是你——选的就是你

选美？我是不看选美的。Kate？一个致力于"追求知识"的书呆子，对金发美女也不以为然。所以，当 Kate 说要去选美，我的眼镜都快掉地上了。老王家什么基因都可能有待发现，就找不到选美这一条。

你知道，虽然女人都希望自己美丽，男人都喜欢看到美女，但是，这个世界歧视美女的脑袋。在美国，人们编出各种金发美女的笑话，我收到的笑话一半是关于金发美女如何没有脑子。所以，"blond"（金发美人）这个词成了"傻姐儿"的代名词。

当然，我遇到的金发女一点不笨。我的同事南希博士高中毕业时是"美国总统学者"，玛娜博士是康奈尔毕业的，玛霞博士是哈佛毕业的。她们善解人意，智慧聪明，非一般知识粗汉可比。提高了认识的好莱坞最近出了一部戏《金发尤物》（Legally Blond），讲的就是一个金发傻姐儿横扫哈佛法学院的大快人心的故事。

其实，美丽对智力没有负面影响。如果真有，只是因为世界太偏爱她们，所以不必坐冷板凳、死啃书本以求前途。铁饭碗、金龟婿这些东西对美女来讲是招之即来，挥之不

去。说什么"绣花枕头一包草" "红颜薄命",不过是相貌平常女子的心理平衡术罢了。至于 Kate 嘛,主要还是妒嫉美女啦!(真的。)

亚里士多德说:"外表美丽是最好的见面礼"。1995年,两位严肃的经济学家在美国最好的经济学专业杂志《美国经济评论》(American Economic Review)上发表了一项学术研究,题目叫做《美丽与就业》。这项研究是检验一个常识:美丽的人是否更容易找到工作,得到高薪。

这两位教授收集、分析了数据,他们把人分为五等,特别漂亮(1% ~ 2%),高于平均(26% ~ 30%),平均(60%),低于平均(11% ~ 14%),特别丑(1% ~ 2%)。结果是:比起同性别的平均长相的工资,好于平均长相的男人和女人要高出 5 个百分点,低于平均长相的要少挣 5 ~ 9 个百分点。长得不漂亮的女人的就业率比较低,嫁的男人比较穷。

你看,哪有什么红颜薄命?漂亮是征服老板的又一杆 AK47 冲锋枪,如果不是喀秋莎火箭炮的话。我万万没有想到 Kate 要去选"华州美少女",我认为她是世界上最不可能参选的人,她的兴趣不在这个上面。我反复问了几次,你敢肯定这是你想做的?每次她都肯定。我只好助她成事。转念一想,闹着玩嘛,选美活动如同选劳模一样,是社会的正常娱乐活动嘛。

第一件事情是就是拉赞助,450 美元。我们列了一个赞助对象名单,包括卖汽车保险给我家的人,我们的牙科医生,常去的餐馆、商店。哼,平时你们做我的生意,今天我要做你们一单!还有周围的有钱朋友,平时老拿着钱晃悠,现在看你的钞票是不是真的。

Kate 开着车,打电话,厚着脸皮一家家地去发表赞助演讲。最后从 8 家商人和个人那里募到了 450 元。我家老朋友露西和肯捐了 100 元，当然没有一个赞助的人期待她会赢，不过是满怀同情，权当用铜板打一个水漂。

为什么我不直接付 450 元呢？如果这样，Kate 就没有机会锻炼求人的能力，就不会增加对金钱的尊重。选美没有胜算，但肯定可以从中学到东西。

美少女选举是在每个州先进行，选出最后五名优胜者，五名中再排名，第一名要去参加全国美少女比赛。华盛顿州的高中大约有 500 名学生被推荐，最后有近 98 名女生参加三天的比赛。Kate 被谁推荐上去，或是按什么标准选上的，到现在还是未解之谜。

比赛是在一所大学里进行的。那是 8 月，Kate 刚从中国回来。为准备比赛用的旗袍，她在中国辅导孩子学英语，条件是家长支付一件专门制作的旗袍。她选了一块红色带小花的料子，跟裁缝反复讨论款式，做成了一件传统的旗袍。

送她到比赛登记处，女生们排着长队，只有两个亚裔、一个非裔，其他全是白人女孩，金发碧眼，花枝招展。看看不起眼的 Kate，真可惜了她的满腔热情，还有辛辛苦苦挣下来的旗袍。

比赛三天，我准备第三天下午去看决赛。第二天时打电话给 Kate，她说，没劲，盼望早点结束好回家。其他女孩把自己的艺术作品也带去展览，音乐录音、绘画、各种照片。Kate 没有把自己的得奖绘画带去，我几次问她可不可以送去，回答是"不"。

最后一天下午，决赛来到了。没好意思惊动几个特别想去助威的朋友，我们就悄悄去了。后来那些朋友抱怨说为什么不叫上他们，我们是怕浪费别人的时间和热情，因为 Kate 肯定会被淘汰。

　　在途中，Kate 的妈妈再次问我，要不要买一束鲜花？万一孩子进了最后十名。我斜了她一眼，说，难道你不知道自己的孩子？别让亲情蒙住了你智慧的双眼。她要能赢，我也可以当选华州先生了。

　　是的，如果还有什么最不可能的事情，那就是 Kate 选美上榜了。虽然她在爸爸的老花眼里总是西施一个，可是她根本不是选美所需要的类型。

　　会场坐满了家长，还有前来捧场呐喊的亲朋好友。前十名已经在前两天的比赛中决定，马上就要宣布了。几位主持人是大学生，也是美少女活动的前辈们，有一位前辈是上届美国美少女，正读大一。裁判席上坐了九个男女，有教授、专家、前华州小姐，他们就要决定谁能进入最后五名，谁是华州美少女。

　　音乐一响，98 名少女跑进会场，载歌载舞，看得我眼花缭乱，好不容易才发现了矮小的 Kate 在什么地方。大会宣布最后十名，叫一个名字，带来一群尖叫。眼看叫完了，突然发现 Kate 怎么站出来了。我的眼镜真的快掉下来了。怎么评委花了眼？或者是执行平权法案，照顾少数民族？

　　赶快照相，当妈妈的拿着数码相机噼里啪啦地拍起来了，说是马上 E-mail 给朋友和外婆外公，没上网的奶奶姑姑们就免了，谁叫王家的前辈们不能与时俱进，跟不上数码时代！

　　下面的程序就像选美国小姐一样。十名少女穿着正式礼服，美妆出台，一一介绍自己，走台亮相，即席回答问题。Kate 谈的是中美两国互相理解。自从"9·11"后，美国民众更多地关注世界其他文化。

　　接着又是等待，宣布最后五名优胜者。我抱着捞够了的心态，如果能再下一城，也是锦上添花。哈，Kate 上了最后五名啦！我这时最后悔的就是没有把左邻右舍带上，一眼望去，居然没有一个熟人，美中不足今方信呀！赶快照相，噼里啪啦又一阵忙。

这时我开始认真起来，一认真就患得患失，就紧张，盼望她凤凰高枝，一举拿下华州美少女。是呀，骆家那小子能当州长，为什么俺家的闺女不能当美少女呀？

Kate 的旗袍是一枝独秀，加上绣花平底布鞋，再次款款出台。那年是《卧虎藏龙》得了奥斯卡奖，正在电影院走红，美国人喜欢上了章子怡，如同女孩子喜欢《情人》里的梁家辉、《安娜与国王》里的周润发。Kate 让观众眼睛一亮，回答问题干净利索。

我有点后悔了，没有买花。如果当选怎么办？

可惜，最后她没有当上美少女。作为最后五名优胜者之一，她得到了奖章、奖状，还有一大束鲜花。噼里啪啦又一阵照相。幸亏是大容量数码相机，连胶卷都不用换。我们非常开心。

后来，我把这个消息告诉其他华裔朋友，大家都觉得意外、高兴。华裔女孩对选美不是很热心，何况 Kate 平时一副书呆子样。看来，事情要去试一试才知道行不行。Kate 再一次发现了一个新我，一个外表美丽的自己，她更加充满信心。如果书呆子的她可以选美胜出的话，世界上还有什么不可能的事？申请哈佛又何妨？

回到家里，我马上发照片。倒霉透了，数码相机的闪光灯作怪，所有的照片都黑黑的，没法看。

第12章

我敢申请常春藤盟校吗?

假期结束了。虽然表面上还有三个礼拜才开学，但是，唉，这些时间不能用来晒太阳和懒洋洋地窝在沙发上。是时候了，我该弥补在中国度过的闲暇时光，给脑子上紧发条，开始运转了。

两个 AP 英语作业虽然必须完成，但已经不是特别重要，那些课外的作品我已经读了几百遍了（希腊神话和其他一些传说）。真正的大餐是申请大学，你知道，这玩意儿将要铺就我的未来，高中就是为此目标而活。（well，瘾君子和懒家伙例外。）

yeah，就是它！我下定决心绝不拖延，不打无准备之战。因为，在和上届毕业生交谈的时候，我注意到，拖拖拉拉耽搁了他们申请好学校的机会，这太糟糕了。他们一直晕晕乎乎地溜溜达达，一直到截止期前几个礼拜才像发疯一样，手忙脚乱地胡乱拼凑一份申请材料。有些人（不便说出他们的名字）耽搁了这么久，以至于他们只有时间去申请华盛顿大学。我才不会重蹈覆辙，不，我要成为模范申请人，我要把所有的申请活动掌握在自己手中！

现在只有一个问题，嗯，申请什么学校呢？

过去十几年里，大人的海聊神侃已经在我耳朵里灌满了顶尖大学的小道消息。每一次他们提起大学，我就像兔子一样竖起耳朵，锁定讲话者。现在正是把这些营养都吸收过来的时候，好帮助我决定申请哪所大学。

我听到的消息五花八门，有人说本科去公立大学读省钱，到了读研究生时再去好的私立大学（有人则说，正好相反）；公立大学太不在乎学生的特殊需要，私立学校妄自尊大；大学选离家近一点，学费便宜一点的（有的意见与此相反）；先选专业再选学校；去一个大学校（或者正好相反）。

aaaaack！太多的相反看法！所以，爸爸和我坐下来，把蒲公英从牡丹花里除掉。与中国流行的看法相反，在美国，本科阶段比研究生阶段更重要，因为在本科，你会遇到将要塑造你的未来的同学，形成最亲密的朋友圈子，他们会给你新的视野。本科可以塑造你的修养，打开通往事业之路，开始你踏入社会的体验。

到了研究生阶段，你不太可能修各种各样引人入胜的课程，因为，你已经选择了自己的专业；你不会见到千奇百怪的人们，因为你已经被堆积在一群有相同专业目标的人中间。

不行，不能这样，一定要多加小心，谨慎选择合适的本科。

至于公立大学之类的问题，没错儿，注册的学生太多了，很多基础课的一班学生达到500人以上！很多课程都是助教（爸爸读博士时就当助教）而不是教授来讲。公立大学的教授们太忙了，忙着指导研究生，忙着自己扬名立万。我可不愿意在新生的海洋里迷失，所以，公立大学不在我考虑之中。

私立学校就很妄自尊大吗？爸爸和我都认为，私立大学的确有些精英主义，但是可以理解。顶尖大学本科都是私立的，所以这些大学的聪明学生难免会有优越感。除此之外，批评私立大学的人可能不属于这些最好的学校，所以话里酸溜溜的。对这些局外人来说，常春藤盟校高高在上的优秀成了排他一族，其他人永远无法打入圈内。

我已经决定，要去东部。在那里，我可以得到不同的经验，生活在不同的态度和意见中。除此之外，我真的想离开爸爸妈妈，所以找一家离家近的学校可不对路。作为家里的独生女，学费不成问题，所以这也不成为权衡的因素。

专业的问题很简单——我没什么确定的想法。既然已经放弃了医学院预科，所以最好是去一个能提供很多选择的大学。你知道，平均一个美国学生大学期间都会换 2.5 次专业！几乎没有人最后选定她在 18 岁时喜欢的专业，不管最开始他们是多么地言之凿凿。我们学校到处流传着一个笑话：一个本来想做核物理学家的同学，却在大学对水下编织产生了兴趣！（是的，在夏威夷大学有这样的学科。）

但是，我有一件事情不能决定——学校的大小，我喜欢小学校的亲密关系，但是我也想要大学校的多姿多彩和机遇众多。

我的首选组合看起来像相扑、摔跤运动员吃的大杂烩。放在一锅里的有蓝鼻子常春藤，比如耶鲁、哥伦比亚、斯坦福；一些小文科院校，像威斯理和惠特曼；学术上很严格的学校，比如位于圣·路易斯的华盛顿大学和芝加哥大学——两所常春藤的追随者。我几乎被后两所学校狂轰滥炸、歇斯底里的邮件打动了，最终却没有生出多少兴趣，因为我发现，这两个学校对其他许多人同样百般用情。

真的，我不知道该怎么办。我不知疲倦地收集关于耶鲁、布朗、宾大、哥伦比亚的资料，以防万一，也许会申请。至于哈佛，我把它的申请材料放在一边，甚至都不痴心妄想一下，虽然它发来两份申请表。为什么我要浪费时间做无用功呢？

well，爸爸看问题的方式却和我不同。他上网研究了录取率、华裔比例、毕业率，然后排出了供我考虑的学校：哥伦比亚、达特茅斯、威斯理女校、耶鲁、斯坦福、布朗和宾大。让我懊恼的是，他也选了我真的不想考虑的哈佛。

我们一起分析这个名单，然后达成策略——从巨无霸里选择两所，从第二梯队里选三四所，公立华盛顿大学作为垫底(虽然我直到现在都拒绝考虑去那儿)。斯坦福当然是第一梯队里的,爸爸动之以情,晓之以理,让我把哈佛也放在里面。他说:"这不会对你有什么损害。如果进不去,也没什么大不了的。"

好吧。至于少数中不溜的,我更倾向于除了威斯理之外,全部选择常春藤学校。但是爸爸说,那太危险了。假设被其中一所录取了,你就可以被所有的常春藤学校接受。同样,一所拒绝了我(哈佛例外),那么我也可能被其他常春藤学校拒绝。在最后一分钟,他给我弄来两所学校,两所我从来没考虑过的学校:杜克大学和西北大学。虽然杜克和斯坦福排名相同,但是杜克的录取比例更高,因为它的名声没那么显赫。西北大学和杜克是同一类型——试图靠着学术优秀挤下常春藤盟校。

但是这些院校到底在哪儿呢?我真的想把4年时间花在北卡罗莱纳的达勒姆(杜克大学所在地),或者伊利诺伊的埃文斯顿(西北大学所在地,靠近芝加哥那个著名的犯罪之都)吗?

可是,我不想和爸爸争,他的安排这么合理,和他争执这个问题我就显得像个白痴。所以就这么定了:哈佛、斯坦福(听起来是典型的中国化的选择)、达特茅斯、威斯理、杜克、西北大学和公立华盛顿大学。最后一个大学实在不能跟前面的私校相比,但是,如果好学校不要我,我总得有地方可去吧!

对这些选择我是怎么想的呢?我真的不知道。我一边为尘埃落定而高兴,一边也很焦虑,因为名单把一些更偏重文科的常春藤院校,比如布朗和哥伦比亚大学删掉了,我过分地局限了自己的选择。

而且,哈佛!我为什么要被爸爸说服?这只能浪费宝贵

的申请时间，我的意思是说，小时候，每个华人小孩都在街区高唱"我想去哈佛"，而且，这正是可以预料的、典型的、没劲的华裔式选择。看见自己亲爱的宝宝成为最好的最好，进入世界上最有名的大学，这是每对华裔父母的梦想。那时候，我厌倦了做一个这么典型的华人——一个书呆子，全 A 学生，钢琴和小提琴的演奏者，言听计从、尊敬领导。

　　啊！"申请哈佛"使得这幅肖像更加完美了，真是让人恶心。我听过关于"哈佛"的传闻，说高鼻梁知识分子的精英俱乐部主宰了他们所在的领域。这听起来可不像我。仅仅说"哈佛"就让我后背一激灵，所以我从来没有说出去。它散发着种种气味，老学校、历史、声望、盛产美国总统、财富和……不可能。

　　不管什么时候，斯坦福都好说，因为它新，而且，看过它的校园以后，我对它有了亲切的感觉。它懒洋洋的加州风格软化了它的学术声望，而且，它比哈佛容易进，即使只容易两三个百分点。

　　我觉得最后会到威斯理女校，那是一所非常棒的学校，它培育了美国的顶尖女性，包括宋美龄夫人、国务卿奥尔布赖特、希拉里·克林顿，以及其他一大把响亮的名字。实际上，就因为这个，妈妈想让我去那儿。她觉得，我会像这些女性一样，钓上一个如意郎君！我对此嗤之以鼻——结婚离我太遥远了。

　　但是，我很喜欢这一点：宿舍楼里没有男生。男生那么脏乱，总让我讨厌。不是说我像个修女或什么恐男症，再说因为麻省理工学院紧挨着威斯理。朋友着实笑话我，因为麻省理工的男生很难上钩——她们想像着我和一个直瞪斗鸡眼、挎着一个计算器的傻子约会。今年，除我外，高中没有一个人申请威斯理，虽然我们的高中和那里的关系一直很

156

好，每年至少送一个女生过去。

达特茅斯、西北大学和杜克，我对它们真的不太了解，除了知道它们排名在前十名之内、录取率在百分之十几到二十多，都是好大学。oh，他们和哈佛绝对不在同一级别，但是去那里听起来也不寒碜。

但是，公立华盛顿大学，这可真是落在后面的心痛。我真的真的不想申请那里，但是我也知道，那是理性的选择。我不是说它是个烂学校，绝对不是。华盛顿大学排名在前50之内，是一所名声很好的出色的公立学校，还自称其本科教育闻名世界。但是，它在西雅图，离我家一个小时就到了，太近了，太近了。我们高中有四分之一的人都在那里。我甚至不想在大学里看见一个熟面孔。我需要逃离华盛顿州的疆域，逃离家庭的引力，独自打拼。进入大学正是一个契机，在一个无人认识我的新地方闯荡江湖。

当然了，我也有一种非常狭隘的想法——我可不想辛辛苦苦高中四年，却以华盛顿大学收场。至少应该得到威斯理学院，虽然我不明说出来。想想那些错过的 party，那些精益求精完成作文和微积分的每一分钟煎熬，最后就以公立华盛顿大学告终吗? 我可不是只拿了 SAT 1 150 分和 GPA3.5 的学生啊! 不，我决心要更好的!

老爸评论：

为什么不——你敢

谈到美国好大学，就会听到"常春藤盟校"这个词。八所常春藤盟校都是在美国独立战争前创设的，每所院校的入学标准都非常严格。这些学校之间的学术与运动竞争性纪录始于19世纪末。为什么叫常春藤呢？根据一种掌故，"常春藤联盟"的原名应追溯到1937年，一位纽约的记者创造了这个名词，因美国最古老及最精英的学校建筑物均被常春藤覆盖着。另外一个传说，较早有称之为"四联盟"（Four League）的运动协会，成员包括哥伦比亚大学、哈佛大学、普林斯顿大学和耶鲁大学。"四联盟"（Four League）被写为罗马数字的"四联盟"（IV League）。读英文字母时，"IV"有着和"Ivy"同样的发音。不论何种理论是正确的，到1954年时，"常春藤联盟"一词正式形成并被沿用。

很多美国学院与大学属于一些特别联盟，这些联盟形成了大学间的体育比赛区，如斯坦福属于"太平洋十强"（Pac10），西北属于"大十联盟"（The Big Ten）。同一联盟，学校的名气和学术水平可以差得很远，体育水平倒是很接近。

本科的好大学是什么？本科教育不是专才教育。在知识

爆炸的今天，本科学的那点专业课实在有限，再说了，有多少人还在干本科的"专业"？本科培养通才。

要上好的大学本科，当然要去私校。为什么呢？虽然美国公校的研究生院非常好，如加大伯克利、密西根、北卡等，但是，还是私校的本科名声大、教育好、学生质量高。《美国新闻与世界报道》每年对美国的大学本科和研究生院做排名，本科的排名中，最好的公校加大伯克利始终在第 20 名上挣扎（我没有小看公校的研究生院，事实上公校的研究生院跟私校一样好）。

排名有许多指标，《美国新闻与世界报道》判断本科的最重要的三个指标是：录取率、平均每门课的学生人数、毕业率。录取率越低，每班学生人数越少，毕业率越高，学校就越好。

公校一堂本科课有上百人听，有时基础课有几百人听，多是助教讲课。一流私校是教授上本科课，大多数课堂一般在 20 人以下，许多课只有几个学生。私校加州理工是一个老师平均带四个学生，本科生可以随时拜见教授，包括诺贝尔奖得主，并被邀请到教授家做客。

哈佛、加州理工的本科生比研究生要少，而公校则相反。所以，私校的本科生享受的是相当于公校研究生的待遇。

由于公校要考虑纳税人的利益，招生时要考虑地理平衡，所以学生质量参差不齐，SAT 成绩差别很大。例如公校加大伯克利录取的 SAT 是 1 170～1 440，成绩差别很大。而私校加州理工是 1 460～1 580，学生质量整齐。

当然，这是从教育质量来讲。从教育成本来讲，公校对本州学生就便宜。公校学杂费就 4 000～5 000 元一年，私校可以是 30 000 元一年。购房、子女大学教育、退休投资是美

国中产阶级家庭的最大开销。现在送一个孩子进哈佛，一年各种费用 40 000 元以上，相当于每年报废一辆奔驰新车。进公校华大的开支每年是 15 000 元左右，报废一辆桑塔那。

于是，中产阶级家庭流行一种做法，就是让孩子去便宜的公校读本科，读研究生时才去最好的大学。因为研究生一般都有资助。这样的话，四辆桑塔那就开到博士学位。对此策略我不敢苟同。

最明显的理由是上面说的，私校是教授上课，班小，教育质量高。此外，本科生的可塑性大，群体对本科生的志向影响相当大，如果有机会和一群出类拔萃的同学生活四年，结果会非常不同。美国人常讲，Smart people make you smarter（聪明人让你变得更聪明）。

一群高中的状元们在私立名校相遇，首先知道的就是天外有天，学会在不具有优势下生活。遇到更优秀的人是提高智慧和训练谦卑的机会。

大学本科是建立朋友关系的机会，大家住一个宿舍，到了研究生在外面租房住，关系就不如本科宿舍里那种铁打的哥们儿啦。任何一个社会都讲朋友关系，名校的本科哥们儿成功的比率大，同学的成功就是你的成功。譬如小布什一个电话打给老同学，这位哥们儿同学就到中国做大使啦！这对于有志于担任商、学和政府领导的人比较重要。

购买教育要考虑质量价格比，选最划算的购买。《美国新闻与世界报道》把最划算的本科排了名，排在前几名的全是私校。那当然，10 块钱买双布鞋跟 100 块买双皮鞋是东西不一样，耶鲁本科生有多大机会？公立华盛顿大学的本科生有多大机会？从消费者的角度讲，大学教育就是人力投资，学生们购买的是教育质量和学校品牌。所以，我是比较赞同把孩子送到私立名校去，问题只是在于能不能进得去，这是孩子的竞争力决定的问题。

　　这一点我和 Kate 轻易达成共识（她想反正是老爸掏钱）。当然啦，我们也需要有一个本州的公立学校，私校都不要她时掉下来有公校托住。我这样讲不是说华大不好，它也进了本科前 50 名，公校里还算好的。

　　选什么私校呢? Kate 买了几本介绍大学的书，研究了一个暑假，越选越高。她选了杜克、威斯理女校、达特茅斯、斯坦福。Kate 最想去的是威斯理女校，该校偏重人文科学，出过的名人有蒋夫人宋美龄、克林顿夫人。该校的女生可以在哈佛、麻省理工修课。哈佛和麻省理工是阳盛阴衰，所以哈佛、麻省理工为威斯理女校提供的不仅仅是课程，还有那东张西望、百步寻芳的男生们。

　　我到雅虎网收集了所有本科排名前 20 的大学的资料：录取率、录取后学生的注册率、资助情况、种族比率、师生比、所在地犯罪率，等等。就本科而言，学人文学科（liberal art）哈佛和耶鲁是超级名牌，学理工的麻省理工、普林斯顿、加州理工和斯坦福常常是首选，还有不相上下的杜克、宾大、哥伦比亚、达特茅斯。哈佛的录取率最低；加州理工的 SAT 分数最高，哈佛第二。

　　大学之间并不分享申请人资料、所以你申请 A 学校，B 学校并不知道。一般来讲，被哈佛录取了，其他常春藤盟校也会录取，反之则不一定。主要是判断申请人的标准比较接近，申请哈佛的人多一些，竞争比较激烈，胜出的机会较小。我有两个朋友的女儿被所申请的斯坦福和所有常春藤盟校录取，就是被哈佛拒绝了。

　　大学的地点也很重要，许多西海岸的人喜欢就近读斯坦福。Kate 一心想离开西海岸，去体验东海岸的文化。她喜欢东海岸人的修养、优雅和勤奋，似乎东海岸的月亮都比西海

成长 1+1
Confessions of an American Nerd

岸圆。所以她真正想去的是东海岸的大学。更多的孩子则喜欢在家旁边读大学。

Kate 想学人文。我告诉 Kate，她应该选一个最好的。哈佛、耶鲁的录取率分别是 11% 和 14%（2002 年），选哈佛如何？

她坚决不同意，觉得自己差得太远，浪费报名费和精力。我说，就算帮爸爸申请这个学校，她只好勉强答应了。我说再加一个排名 11 的西北，这样就上中下都有了，中间有西北，下面有华大。她凑够了七个学校。

申请大学，你想申请多少就多少。太多了就影响填表和回答问题的质量。中国报纸上有一篇文章，夸奖说有个华裔子弟被三十多所学校录取，这有点厉害。Kate 的同学平均是申请四所学校，她申请七所有点多了，主要原因是我按自己的留学时申请研究生院的老经验，生怕少了。

学校一旦确定，就得要申请材料。这点不用担心，因为 Kate 进入了国家奖学金的候选名单，前 50 名的大学早就用申请材料对她进行了"精确轰炸"。哈佛和斯坦福还炸了两次。其实，申请人可以在网上找到所有的申请材料，完成申请表。有些学校对网上申请免除申请费。

不是特别顶尖的学校为了竞争到中意的学生，开始发出邀请访问校园，免申请费，许诺最低资助金额。只可惜 Kate 芳心已许，决定从七而终，不再流目四盼，甜言蜜语也难让她红杏出墙。

大学之战进入了最后一搏。对高中，不，对整个中小学"投资套现"的时刻来到了。高中生们要像孔雀开屏一样，把自己的每一片光辉都毫无保留地展现给吹毛求疵的招生官员们。

第13章

写一篇打动
招生老爷的短文

　　如果四年以前你问我，关于大学申请最怕的是什么，我肯定会说："咄，当然是 SAT！"早在初中开始，这就是我们这些可怜的学生被反反复复灌输的。有些地方的高中还有特别的训练班来对付这个可怕的 SAT，好像这就是生命中最重要的目的。所以你看，只要你神志清醒，而且真正学习了（大多数人没有做到这一点），要拿一个看得过去的 SAT 分数并不真的那么困难。

　　糟糕的是，每个人都把注意力集中在 SAT 上，申请中同样重要的事情被忘记了。学业累积分 GPA 呢？修了什么课？社区服务、领导能力、个性、自我包装呢？还有，短文呢？

　　和大众的思想误区正好相反，一个 SAT 1 600 分的满分不能保证你踩平天下，除了公校和一些急于出头的私校外。课程累积分 GPA4.0 满分和 AP 课程一大把也不能任你纵横江湖。当然，成绩和 SAT 都非常重要，因为顶尖大学甚至都不看一份 SAT 成绩只有 1 200、GPA2.5 和一堆骗分课程如摄影、制陶、举重的大学申请表。SAT 和 GPA 高分、修困难课程是最起码的条件，是被考虑录取的最低要求。

　　还要靠你把自己精心打扮，在众人中凸现出来。大学短文是老师的推荐信之外，最整体表现的一个手段。

　　申请大学要写一篇短文，这个短文的写作值得一提，因为与中国高中的作文截然不同。第一，虽然人们希望语法和拼写正确，主题明确，但是一篇完美的文章应没有既定的陈规。第二，短文应该很有个性，要写得锋芒毕露、尖锐，甚至是好玩！

　　想像一下，如果你是被申请表团团包围的招生老爷，面对汪洋大海般的呆板严肃的短文，突然发现一篇特别有趣的文章，能让你会心一笑。太明显了，那会留下一个最佳的印象，把作者和那些芸芸众生区别开来。他们无非是唧唧呱呱心爱的宠物死了、一次传教旅行或者献身于动物保护等等。

细读了《如何写一篇制胜的大学短文》之后，我发现几个禁忌主题，这些主题被用滥了，写它们包你被拒：

1. 旅行
2. 我最喜欢的事情
3. 美国小姐（像世界和平一样，是最大的主题）
4. 运动生涯（校队足球队，当选全美足球运动员）
5. 我的房间
6. 我成功的故事
7. 宠物之死
8. 兜售和吹嘘——自传

但是，你会说，事实上这不是排除了所有可写的题目了吗？应该写什么？轻轻拂动的垂柳？热天里臭袜子的味道？

我很绝望。我想，我的生活不是发人深省或者激动人心、令人羡慕的。虽然我老老实实地按照短文写作书的要求，做着那些漫长的模拟练习，但是，我所制造的只是一堆软绵绵的情感垃圾，比如我的英雄是谁，我这一生想要完成的事业，我最喜欢的童年片断。

一篇乏味的短文会带来一封拒绝信的惩罚，即使成绩像恒星一样闪亮。招生办曾经拒绝了我们学校一个成绩毫无瑕疵的学生，仅仅因为从短文来看，他这个人太无趣、太缺乏想像力了。

虽然我想写一篇出色的短文，但是我恨死了阅读那些样板文章，它们让我感到自己无能。尤其是那些幽默文章，因为我实在缺乏幽默感。不幸的是，英语老师告诉我们，大学短文的趋势就是幽默。

被成堆成堆禁忌——不能这样、不能那样——搞得心烦

意乱，我决定豁出去了。我不会向喜剧的标准看齐，不会写所谓丰富多彩的文章。我要让字句从我内心流出，自然而又动情。

一天，我在卧室里翻旧书的时候，发现了一个句子，让我的心"扑通扑通"跳个不停。那是《根》的作者、美国黑人作家亚历克斯·哈利说的："在我们所有人中间，有一种渴望，想了解自己的传统，了解我们是谁，来自何方。没有这些滋养我们的认识，就只剩下空虚的怀念。不管在生活中我们有什么成就，总有一种最令人不安的孤独徘徊不去。"

混乱的念头一下子浮现在我的脑海里——常年辛劳的祖父母……父母艰苦的青年时代……我渴望着的家庭传统，我对中国的情怀。所有这些，无可置疑是我的一部分，就像水一样不可缺少。它们滋养着我的灵魂，就像肥沃的土壤培育了种子。

我立刻跑到楼下，急不可待地打开电脑，开始像疯了一样地敲动键盘，不停歇地写了一个小时，除了内心的想法之外，浑然忘我。我让这些想法渐渐结晶，黏合起来，变成一篇表达生动的散文，那里面有所有的自我，毫不矫饰。完成了的短文是我身上自然生成的一部分，就像手，就像面孔一样，我可以听到内心的声音在倾诉。我的灵魂出窍了。

这是一篇不落俗套、不努力取悦他人的短文。（短文在第10章的"老爸评论"中。——译者注）

父母、朋友、老师们是怎么看的？爸爸几乎没怎么改动，除了澄清了几个事实以外，妈妈喜欢得不得了。我把短文交给为我写推荐信的老师，又送给亲爱的艾米丽一份，她是我能够信任的、有阅读品味的人。虽然有一些语法问题，但是所有的人都辨别出——这就是我。这让我松了一口气。我最怕的是文章过分多愁善感，但是他们再三肯定，感情充

沛，但是不滥情。

终于，我心情平静下来，几个月来一直徘徊在心里的急切和纷乱慢慢烟消云散了。事实上，我心情非常轻快，怕哈佛觉得我的这篇短文太严肃，决定再为哈佛写一篇补充短文，描述过去一年我所读过的书。在这一篇中，我显露了我好玩的一面，希望能为申请再加一分。我调动了许多幽默细胞来写出以下补充：

　　我喜欢把自己想像成一个书籍的美食家。我的阅读范围很广，从花生酱和果冻到香料罗斯玛丽，从脆嫩的小羊羔到味道丰美的菌类、到令人咂舌的草莓冻糕。我把每一种书按照特性当做一种美食，而且，像有一个无底胃一样，我从来不会觉得满足。

　　首先是古典作品。鱼子酱是亨利·詹姆斯的《贵妇画像》，复杂、优雅、深刻。《司各特·菲茨杰拉德小说选》和《伊迪丝·华顿小说选》就像手卷的日本寿司，洁净、充满了微妙之处。富含多肽、使人精神振奋的巧克力是肯特·肖邦的《觉醒及其他小说》——一本引人注目的小说选集。

　　啊，轮到令人愉快的食品了。重读《哈里·波特》就像纵容自己吃家里做的辣椒，味道火辣辣，感觉急吼吼。《安徒生童话选》是各种各样饼干的集合，是我童年的最爱，是永远的诱惑。

　　我从来不会怯于体验异国情调，实际上，对于文化传播来说，他们是很重要的。劳拉·依斯奎尔的《浓情朱古力》是激情四溢的芒果——它浓烈的味道唤起了那么多情绪。朱莉娅·阿尔瓦雷斯的《蝴蝶的时间里》是石榴——结实致密的外形里面，藏着几百个饱含着汁液

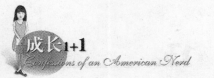

的红"宝石"。鲁斯·普罗格·加布瓦尔的《热与尘》是热腾腾的酸辣汤，多种香料挑动着味蕾。

然后，混合食品征服了我的味蕾。这些现代制品融合了各种原料，制成独特的新体验。琼帕·拉希里的《病残的译者》是咖喱菜，原产于印度，但风行全世界。闻起来臭死人，吃起来非常美味的臭豆腐，就像乔伊丝·卡罗尔·奥茨的《怪诞的故事》。配着新鲜蔬菜的美味粥就像塞娜·杰特·内斯隆德的《亚哈之妻》，无味而可磨牙的老玉米粉是赫尔曼·梅尔维尔的《白鲸》，谭恩美的《接骨师的女儿》是蔡明（Ming Tsai）①的蓝姜菜肴——独创优质的中美食物。

最后，是我的最爱——家常菜，这些真正的中国原料用一种独特的方式把我和我的根重新连接起来。《中国古典小说精选》、《道德经》、《历史学家选录》相当于米饭和热馒头，是搭配其他可口作品的主食。《中国现代小说家佳作》像妈妈的五味鱿鱼，在中国主题里加入了西方调料。最后，张戎的《野天鹅》就像我喜欢的苦瓜，因为它的苦能够让我生出感激生活的甜蜜。

所以，你都看到了，这是一份让人流口水的美味书目，一年来，我都倘佯在其中，"每一道菜"都扩展了我的味觉。希望有一天，我的味蕾能够为尝遍了全世界的风味而自豪。

我匆匆写完这篇短文，感觉到透着调皮劲儿的生动、快乐和华丽。这些傲慢的招生办老头们非得乐坏了，肯定是！这就是我，是另外一个我！艾米丽对我的读物分类捧腹大

① 蔡明是美国有名的电视烹调节目主持人，开创了蓝姜（BlueGinger）菜系。
　　——作者注

笑，她知道我骨子里就是个美食家。爸爸说这篇短文非常机智。

申请大学是真正的折磨。你以为他们都会使用同样的申请表，让那些可怜的学生轻松一点吗？才不是呢！他们喜欢提出自己的聪明版本的申请表，好没完没了地折磨人。虽然哈佛、达特茅斯和威斯理都是通用申请表，但是其他学校（这些坏东西）要么附加"特别"的短文，或者对短文有自己的提示。尤其是当我看到西北大学、斯坦福和杜克大学的申请表上都要求回答多少个小问题、要写多少篇小短文的时候，我所有的轻松马上消失了。西北大学最坏，我简直想跟爸爸抱怨，别申请那儿算了。但是理智告诉我，这是个傻借口。这是我的未来，像这样的小麻烦不应该算什么。

问题是，灵光一现之后，我的聪明水儿就不往外冒了，大脑像风干了的椰子壳。我能感觉到干沙子在里面刷刷地流动，全无生气，全无水分。

我讨厌华盛顿大学的问题，太太太太没有个性了：如果你可以改变历史上的任何事件，无论大小，你会改变哪一件？谈一下你选择的原因，设想一下这个改变会给历史带来什么后果。或者是：这是 2010 年，你大约二十五六岁，写一篇社论，足以导致全国或者国际性的轰动辩论。

OK，这个鬼问题与我有什么关系？我被迫选了第一个问题，因为第二个太卖弄噱头了。

历史是不可以改变的。我相信，所有事情的发生都有其原因。即使改变了历史上的一丁点事情，也会使我们现在的生活发生翻天覆地的变化。所以，我写了一篇充满激情的短文，来论证历史不可以改变的观点，即使冒着不服从问题而被拒绝的危险也在所不惜。我想，也许可能被接受呢，因为艾米丽和我的英语老师都说可以。

但是，唉，爸爸一下就把它毙了。实际上，他说这根本没用，完全离题，完全……错了。我哭了，像个孩子一样在我爸爸面前抹眼泪。他怎么可以说这错了呢？很明显是对的嘛，而且，离最后期限还有五天了，我坚决不愿意在最后一刻重写短文。

爸爸一边耐心地看我哭了 15 分钟鼻子，一边解释说，是的，这个问题很蠢，因为历史是不可能改变的。但是，他说，我不应该理解得太拘泥，因为这是个理论假设，因此，应该有一个理论上的假设回答。凭我的写作技巧，他肯定我会拿出一篇好文章出来的。

我还沉浸在自怜自艾里面，爸爸建议说，既然我对中国历史这么感兴趣，应该写写"二战"后蒋介石和毛泽东组建联合政府的协议被打破一事。我马上抖擞起来。这是什么？我怎么从来没有听说过？毛泽东和蒋介石在一起，协议？不可能。所以我"呼哧呼哧"吸着鼻子，听爸爸耐心地解释了整件事，在脑海里把各个事件连成网络。他一说完，我就开始工作了。

两个小时以后，我已经在键盘上打完了，把刚才听到的事情即兴写成了一篇文章。没歇一口气，那些单词就跑到了电脑屏幕上，雄辩、有力、难以磨灭。最后，我精疲力尽地把文章拿给爸爸看，他点头赞赏，我长出了一口气。感谢上帝！

虽然已经跳过了波涛汹涌的水面，但是短文题目带来的困扰加强了我对华盛顿大学的恶感。现在，可恶的短文写作任务已经完成了，我转向乏味的工作——填申请表。因为无法解释的迷信，我使用了书面的哈佛申请表，而不是完成网上申请。我觉得这样古老的学校应该被待以古式的方式。所以，我用铅笔填了一份申请表，送给爸爸改正，然后，辛辛苦苦地把更正本抄过来。

　　我发现，申请大学并不只是填空，因为，就像爸爸说的，你必须"包装自己"。每一分钟的细节，各项成就的排列次序，反复折腾。我应该把"AP优秀学者"放在"国家奖学金优胜者"前面吗？该不该提到曾经进过一年网球队？怎样措辞才能表达出在华盛顿大学的暑期研究工作是一个亮点？

　　多谢爸爸丰富的经验，我很快就变成可以从酸广柑里榨取最甜最丰富果汁的熟练工了。没有一句谎话——所有事情都是真的，但是用技巧和富有吸引力的方式把事实衬托出来，抓住招生老爷那混浊的眼球。oh，当然了，我和爸爸吵架了，因为他那么挑剔，我不得不气呼呼地把完成的表格进行修改。但是最终，我向爸爸的智慧屈服了。谚语讲"爸爸什么都懂"，对吧？

　　花了简直有上百个小时，辛辛苦苦地把所有的东西像机器人一样精确地抄在哈佛的申请表上。然后，我兴冲冲地在网上填写其他大学的申请表。我要做的所有事情，就是在网上开一个申请账号，输入、修正、点击一下就送出去了。

　　我尤其痛恨华盛顿大学的申请表，我必须按照它的特别要求修订我的简历。我恨爱斯基摩狗（华大的标志就是此狗。——译者注）。为什么他们故意把申请搞得那么困难？随着申请时间的消耗，我发誓，如果进不了这些学校，我就去踹这些狗东西的大门。就凭我费的这些心力、寄走申请材料时的折磨心情，我理应得到录取。

附录：写给斯坦福的短文

　　这是一件儿童跳舞装，透明的薄纱，明亮的刺绣，非常漂亮。但是，我珍爱它是因为它无形的、情感的那一面。它是我幼年时在中国剩下的为数不多的纪念品之一。看着它，往事扑面而来。同时，它也提醒我不要忘记感激今天。

　　虽然只穿过一次，但是这件衣服唤起了在中国所有的童年记忆，这是惟一一件能够清楚地唤起过去的东西。当我看着它的时候，支离破碎的记忆就会在我心的角落里出现：外婆推着小车里的我；冬天里吃热腾腾的烤白薯；放学后冲进妈妈的怀抱；坐在爸爸的自行车上；和我的表姐妹玩耍。所有这些连接着一个过去，有时候想起来，会觉得太遥远、太奇异，是令人难以相信的过去。

　　我在美国的生活洗刷着我的中国记忆，令它消失。因为我常常不能相信，生活在美国的现实中，中国的记忆会是真实可信的。只有当我用手指摩挲着柔软的舞服，才能相信这些飞逝的记忆，它们不至于失落，它们确实存在过。

　　舞服的记忆最清晰不过，因为一次舞蹈表演，我在全托幼儿园穿上过它。记得我试图在父母群里面寻找妈妈，我大哭起来，以为她太忙了，肯定没有来。一下发现妈妈的时候，我有多高兴，她温暖的怀抱，她带来的难以置信的消息。我们要去美国了，爸爸在那里！

　　直到那时，我五年来都没有连续的家庭生活。三岁之前，我有一个保姆，三岁就被送到全托幼儿园了。父母很爱我，但是他们发疯的工作不爱我。整整一年中，我每个星期只看见他们两次，我每次被送回全托幼儿园的时候，都会号啕大哭。然后，爸爸去了美国，我几乎放弃了和父母在一起的指望。

所以，不是美国的异国情调吸引了我、让我雀跃，而是，这意味着要把爸爸妈妈还给我了。从现在起，我会一直和他们在一起，我五岁的心里满怀期待——当我不高兴的时候，这件衣服提醒我，我是这么幸运，拥有世界上最好的东西：一个完整的、充满爱的家庭。

很少有十几岁的孩子曾经有幸生活在两个国家，并且和每一个都有情感上的链接。舞服凝结的记忆驱使我无法抗拒地接近中国。我不能忘记她。虽然经常去那里旅行，但是那并不能满足我和她重新建立情感纽带的渴望。我未来的一部分在那里耐心地等待着我。同时在这两个国家工作，会把童年时脱落的两个部分连接起来，而且塑造一个由两个民族最好部分组成的成年。当我心里掠过对未来的不确定感的时候，这件舞服就在那里，鼓励我、指引我。

孩童时，妈妈曾经要把它送给别人，我大哭大叫。甚至现在——11年以后，我也不能和它分开。它从来没有洗过，因为我想保持快乐和记忆的芬芳。这是我和过去最珍爱的联系，是对现在的抚慰，对未来的指引。

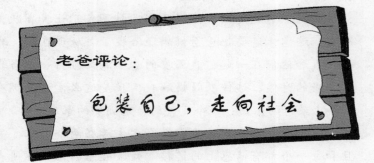

老爸评论：

包装自己，走向社会

　　填写大学申请表最重要的是写一篇短文。哈佛、威斯理和达特茅斯的申请表一样，给了四个题目；第五个是自选。斯坦福是给定题目。

　　通过短文，大学想了解申请人的修养、思维和表达能力。当然，短文也是申请人打动招生官员的一个重要武器。在条件相差不大的情况下，怎么样能让招生官员动心呢？短文。

　　Kate 的数学班有个高一届的男同学，SAT 考了 1 590（满分 1 600 分），最后却被所有的私校拒绝了。我问他的学生顾问，顾问说，如果你看了他写的短文，就不会奇怪好学校为什么会拒绝他了。所以，短文如果是杆破枪，也可以射穿自己的脚板。

　　短文一般要求不超过 500 个单词。写作诀窍就是要打动招生官员。夸耀自己如何得奖，抒发如何胸怀大志，当然挺好，只可惜这类话题被高中生写得太多，不仅不新鲜，而且令人厌恶。当然你不必为了标新立异，写什么大战卢旺达叛军救出野生动物的天方夜谭，或者一只爱狗仙逝而感叹生命脆弱之无病呻吟。要写自己有感动的东西，从自己心里来，

才能到别人心中去。写得越具体，事情越小，就越有故事。

说起来容易做起来难。Kate 买了几本关于怎样写大学短文的书，还带到中国去，整个暑假都在闭门造车，想怎么写这篇文章，回到美国时仍然是两手空空，一张白纸。就像她说的，直到灵感一来，一气呵成。我喜欢她写给哈佛的短文（文章参见第十章"老爸评论"）。这里有个故事。

我把这篇短文送给我的一个朋友读，他一直是 Kate 的赞赏者。这位北卡大学的经济学教授读了以后非常喜欢，递给淘气的儿子。看着儿子读完，他指望儿子赞叹一番，他就可以乘机劝儿子跟随 Kate 的足迹前进了。他热切地问儿子："怎么样？"儿子无所谓地回答说："有趣。"老爸诧异地问："只是有趣？没有想像 Kate 那样活着？"儿子回答："我有自己的生活方式。"

做人如同行文，最怕的就是千篇一律。所以，即使 Kate 和我今天谈到自己的教育体验时，目的也是为了分享，告诉你我们是怎么做怎么想的，不是让你模仿。

榜样的时代过去了，我们处在一个多价值观的时代。我们的确为自己选择的生活方式充满自信，也希望看到更多的人活得跟我们不一样。

关于 Kate 的英文写作能力，你从本书的翻译也可以判断出来。写作是她的强项也是她的爱好。她的 SAT 语文是满分，由于她在本书的英文写作中大量使用成语性表达，让翻译和我头痛万分。至于她的中文写作能力嘛，还是不讲为妙，怕破坏她的形象。

哈佛、威斯理和达特茅斯对短文的要求都一样，所以 Kate 就一文对付三校。其他学校如杜克、西北、斯坦福都是分别写的短文。除了短文，申请表还会问几个问题，答案往往又是一篇短短文。

写好了短文和短短文，填申请表最困难的部分就过去了。大学录取时会看三方面的表现：学业成绩、课外活动、个人修养。

在申请表上要填上 SAT 考分、SAT 专题考分（只有好的私校要求）、AP 考分、学业排名（在全校多少毕业生中排第几名）、课程平均累积分 GPA。SAT 成绩由大学董事会的考试中心按申请人要求直接送给各大学。高中会随申请表送一份成绩单给大学，包括 GPA 和排名。到那时我才从高中的成绩单上发现，Kate 的成绩在全校 400 名毕业生中排第一。 即便如此，我对 Kate 能否进入常春藤盟校仍无把握。

因为成绩对顶尖大学来讲只是基本要求、必要条件，没有好成绩根本不考虑你，有了还远远不够。所以，进入顶尖本科学院是能力和修养的竞争，这点与研究生院不同。

课外活动包括科研、文学、美术、音乐、社区服务、领导才能、竞赛得奖。Kate 比较有竞争力的是获得过伦塞勒数学及科学奖，在华盛顿大学医学研究实验室的经历，"女生之邦"中当选为州教育部长，以及华盛顿州少女选美中获前五名。

社区服务非常重要。好的本科学院不仅培养学术专才，而且要培养影响、领导社会的人才。大学想看申请人对社会的奉献精神。麻省理工甚至把新生在上大学前做的义工换算成工资，提供基于义工计酬的财务资助。

从初中开始，Kate 就在施粥站做义工，为无家可归的人做饭。从高中开始，她就在圣彼得医院做义务护士，工作时间是每周日的下午 4~8 点。

填到表上容易，做到就比较困难了。Kate 给施粥站工作时，下午三点去，做饭、服务、收拾清洗，回到家已经是晚

上九点，这时才开始吃晚饭。在医院做义务护士时，她会开车前需要父母接送，回到家吃饭肯定是晚上八点以后了。无论学习多忙，无论是圣诞夜或是新年夜，都得去。这些义工不是学校组织的，施粥站的服务是几个女同学组织的，义务护士是自己到医院联系的。

Kate 能够坚持长期做义工，是她的几个好朋友互相鼓励的结果。她渐渐培养起了对他人，特别是对弱势群体的关怀之心。如果只是为了上大学而做义工的人，很难默默坚持长年志愿服务。因为去当个学生领导也许更出风头、更有利于上好大学呀！

四年前，Kate 宣布从此不要圣诞礼物，要父母把礼物钱捐给穷人。她每捐一元钱，我再加一元。虽然这样的奉献不填进申请表，但由此而产生的品质一定能为社会所欣赏。

当然喽，要进好大学还得有些文体活动。Kate 学过绘画、钢琴、小提琴，因为没有得什么大奖，成不了风景线。想想看，哪个华裔子弟没有学过钢琴呢？

看着 Kate 填在申请表上的单薄内容，我直为她摇头。没有当过学生领导，没有入围英特尔科技奖，没有小提琴名次，没有数学竞赛奖，不是任何体育队员，连体操方队都不是。也就是成绩好和志愿劳动好，整个儿就是一个书呆子加劳动人民。

真可惜，直到 Kate 送出申请表、被大学录取后，有些更为出色的奖励才姗姗来迟。譬如美国国家奖学金优胜者、总统学者最后候选人（300 万应届高中毕业生中有 500 人选为最后候选人）、美国大学妇女联合会杰出女性科学奖以及华盛顿州校长学者。这些东西填到申请表里，那可真是一份顶尖的报告。

当然喽，如果哪一所学校因为没有预见这些光彩而拒绝

了 Kate，这样的学校也不适合 Kate。

　　从 9 月忙到 12 月初，才把七份申请表完成。填好的申请表送回高中的学生顾问处，由学生顾问加上成绩单、老师推荐信一同寄出。学生顾问会检查申请表，发现不实之词就得拿掉。

　　美国大学的录取方式有三种，早决定（Early Decision）、早行动（Early Action）、常规申请（Regular Action）。前两种方式的申请表是 11 月 1 日前交表，发榜为 12 月 15 日；常规申请表截止期在 12 月或者 1 月，发榜在 3 月底或 4 月 1 日。早决定被录取后就必须注册，早行动被录取后可去可不去。Kate 申请哈佛是早行动，其余为常规申请。

　　交出申请表后，就剩下老师推荐信和面谈了。

第14章

人性的证明
——推荐信和面试

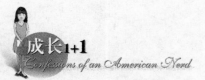

有些人（好吧，应该是大多数人）认为，我是一只老师的小猫咪、掌上明珠。听我说，我可不是那种恶心的马屁精，对老师的每一句话都言听计从——我只是凑巧受到老师的宠爱，原因是刻苦学习，而不是上蹿下跳，求他们行行好。我也不是那些夸夸其谈、卖弄聪明的大头症患者，满脑子都是"我我我"，好像自己是发明面包片以来人类最伟大的事物。

事实上，我讨厌吹嘘自己，也严格禁止爸爸妈妈四处宣扬。我觉得，吹嘘有什么意义？只是让你看上去骄傲自得、目中无人，最后，大家都妒恨你。由于自谦，我和老师相处得非常融洽，也赢得了他们的尊重。当大学申请慢慢逼近时，这一点让我受益匪浅。

读到此处，你也许以为申请大学只不过是复制简历、炮制几篇短文，其实，才不止是这些呢！对于私立学校来说，推荐信是重要得无法估量的一步。招生委员会看不到候选人，他们想确定你不是嗜血之人，不是偏执狂，或者不是愤世嫉俗的道士。除此之外，你独特的个人品质也无法在简历中体现出来，所以，他们请你的老师在推荐信里评价一下你的潜力、个性、领导才能，等等、等等。

达特茅斯学院甚至还要求有高中同学的评价，我想也没想就交给了艾米丽。她比大多数人都更了解我，而且写得一手好信。我还有一些相识时间更久的朋友，但是没有一个人能像她一样文笔流畅。hey，别怪我精挑细选，这可是在争取我的未来啊，所以，包装也很重要！

挑选老师倒不难。显而易见，生物老师拜赛先生一定跑不掉，历史老师萨福先生是另一个。选他们，不止是因为我心知肚明，他们会给我说好话，而且，他们了解我的个性和优点。我也知道，一半的毕业生想要推荐信，所以，我赛跑

一样地抢着把我的推荐表放在老师的文件堆上面。但是，已经晚了。我沮丧地发现，很多人抢在我前面找到了历史老师萨福先生。萨福先生才来了一年，但已经是学校里最受欢迎的老师之一了。想到萨福先生做事素来拖拖拉拉，我几乎都要后悔找他了。

另一头，拜赛先生动作很快，在两个礼拜之内就把推荐信交给了我。理论上说，老师要自己寄出推荐信，我现在不能"要求阅读"它们。但是，既然没有说我的坏话，拜赛先生就

王可和她最喜欢的生物老师拜赛先生（崔智摄）

先让我阅读一下。我看得脸红了，他对我的赞扬简直是赤裸裸的。在信里，他不仅仅是老生常谈、客气地点出我学习刻苦等等，而且是创造性地、诚恳地、感人至深地为 Kate 鸣锣开道、摇旗呐喊。

终于，萨福先生要抽出时间完成我的推荐信了（我必须得站在他旁边，盯着他，要不然他永远都写不完），同样，

王可和历史老师萨福先生（崔智摄）

他也把我吹到天上去了。他告诉我，通常情况下，他都用同样一份推荐信，填上不同学生的名字，但是，他为我写的是发自内心的原创，也是最好的一封。我不知

道该怎样表达对他们两位的感激，他们所做的超出了我的期望，而我不配这样棒的推荐信。但是爸爸说，这只是我去年付出努力的回报罢了。

我的学生顾问温兹先生也得为我写一封推荐信。我知道他真的喜欢我，我们曾经聊过很多次，他总向我挤挤眼睛，好像我们之间有什么阴谋似的。爸爸起初对温兹先生有成见，因为他向我推销军事院校。后来，爸爸逐渐同意了，说他还算是个"有操守的顾问"。好玩的是，温兹先生的儿子和我很熟，十年级时我们一起度过了可恶的华盛顿夫人的英语荣誉班的煎熬。

虽然没有看到那封推荐信，但我相信，他一定写得很好。因为比起其他的学生顾问，他已经是大好人一个了。我不想太失礼，但是其他三个学生顾问简直无能。一个是博士，完全不可理喻；另一个是个傻兮兮的胖母鸡；顾问组长是个哼哼唧唧的体操方队教练，只对聪明学生友好。是的，这三个顾问对我都很好（我从来没有捣过乱哦），但是我万分同情他们的学生，他们不得不对付这样的怪顾问。可是没办法啊，这就是生活。

强迫老师和学生顾问写完推荐信后，我的校长——格朗特先生，就一步步走近了。格朗特先生是个真正的好人，或者像我爸爸说的，他"很年轻，还没有来得及被官僚政治所腐败"，伴随青春的是热情和乐观主义。他对我在"非暴力和多元文化俱乐部"（这可是他发起的啊）里的表现印象深刻，也知道我在申请哈佛（他是在哈佛拿了学位，并在那里邂逅了可爱的日本妻子），所以，他提出我若有需要，他愿尽其所能。正如通晓世事的爸爸所说，如果我能去哈佛，对我们的公立高中将会是极好的"宣传和广告"。well，我想，也许校长只是出自内心想帮助我。再一想，很舒服：校长——校之尊对小小一个学生青眼有加，oh，刺激！

等等，还没完呢！除了个人推荐信，大学申请还有第二个针对个人的考察角度——面试，斯坦福除外。我一直想不通，为什么这么好的学校却从来没有本科面试，因为他们不缺校友在各地推行面试，而且也肯定不想要奇形怪状的人进学校。真是咄咄怪事。话说回来，至少其他学校考虑得更周全一些。

你可能已经知道了，我有点与众不同。如果我说，我无条件地热爱面试，你会不会觉得我的大脑进了水？我津津有味地品尝面试，把它们当做松软的红豆包，每咬一口都越来越愉快。所以，你可以想像，当一位哈佛校友打电话让我在学校安排第一次面试的时候，我多么欣喜若狂。oh，高兴死了！我花了很长时间来计划装扮、化妆品、谈吐。爸爸和我讨论了所有能让我精神饱满、闪亮登场的细节，就像诸葛亮的战略——无懈可击，必胜无疑。

时间慢慢近了，我有点战战兢兢，但这只是加强了我必胜的信心。到了那天，放学以后，我精心打扮：粉蓝色毛衣、职业裙、一圈珍珠项链，等待着麦克因托先生。我在上海买的皮鞋不停地闪着亮光，是我热诚盼望的标志。然后，他进来了，一位可敬的、教养很好的中年人，标准的哈佛毕业生的样子。

我带麦克因托先生去会议室的路上，他告诉我，他是个退休的律师（啊哈，他一定富得流油，四十多岁就退休了），儿子在诺瓦——那个市里惟一的私立学校。谈话像茫茫荒野里的小溪一样宁静、平稳地流动——从他的生活到我的生活。我们谈艺术、音乐、我的嗜好、兴趣、我的目标、家族。他也修过钢琴课，我们讨论到：如果全身心投入到音乐里面，会怎样创造出更多神经中枢线路，这一点可以解释

为什么音乐天才往往智慧过人。他对我的移民背景尤其感兴趣，我娓娓讲出中国文化对我的塑造。

差不多一个小时，我们的谈话触及了生活很多方面，直到他意识到时间已不早了，该问我有关学习的问题了。我流利地陈述了自己的学习方法，还交给他一份申请表和短文的复本。然后，轮到我问他关于哈佛的情况。他所说的完全达到了我的期待——那里孕育着学习的氛围，培养持久的友谊，拓展视野，拥抱不同的选择，提供生活经验，而不仅仅是学术训练的场所。他每说一句，都让我更加倾心于大学生活，特别是进入哈佛。面试结束的时候，我送麦克因托先生出去，心里有点不舍，盼望着这样的情景能够再重复一遍。

没错啊，面试过程又重复了一遍，不过这次大不相同。这次是杜克大学校友——瓦格纳夫人。面试很没劲，但是前后过程很有意思。在电话里，瓦格纳夫人的语速很快，我都没有听清她的全名，大致记住了她的地址。我想应该是记住了，因为她就住在我好朋友的社区。但是，我到达那个社区时却找不到克雷格街 2307 号。还好，我早到了 15 分钟，但这些时间也就够我在街上来来回回疯跑的了。我不能打电话给她，因为她没有留电话。我真的以为我要错过进杜克的机会了。

但是，我灵机一动，跑向一个带孩子的好好先生，傻乎乎地问，请问你认不认识一个从杜克大学毕业的女士。好好先生带我去找他的岳母，她幽默地告诉我，有一位瓦格纳夫人住在克雷格街 2307 号。匆匆说了一声"谢谢"，我冲过街道，刚刚到约定的时间。正像我前面说的，面试乏味得要命，惟一好玩的花絮是，她丈夫是华人，他们在杜克结识。

下一个面试让人愉快很多。这是威斯理校友艾米·里格斯，她约我去星巴克喝咖啡，随意地闲聊一次。威斯理是我心爱的选择，我想表现得令人难以忘怀，非常非常想。我穿得比较随意，还是上两次面试穿过的蓝毛衣。但是，看见她穿着毛衣、网球鞋，我就感觉自己衣着老套，举止僵硬。但她平易近人的态度使氛围变得轻松。我们在车里谈论着一些鸡毛蒜皮的小事——天气、她的家庭、她的背景。

　　我们在咖啡店的椅子上坐定后，她解释说，这不是正式的面试，更像是申请过程中的私人联系。如同在哈佛面试中一样，我们谈了很多事情，尤其是集中在我的家庭和历史上。她描述学校的美丽，女性之间亲密的友谊，美仑美奂的校园里无处不在的对学习的热爱、思想深邃的教授、一心向学的女生们。

　　听起来像天堂一样。真正让我爱上威斯理的是一个问题："是什么令你脱颖而出，是什么令你独一无二？"我回答说，我不仅仅是想上大学得到教育，我想要一份生活经验，我想实现我的家族传统，我想为完成我的梦想——在我出生的土地上工作——而做好准备。

　　紧接着是西北大学的面试。我被指定在下午两点半，和一位至今不知姓名的面试者谈话。这一次，我没穿蓝毛衣，而是一件配有时髦围巾的黑色开襟毛衣、职业裙，和擦得发亮的皮鞋。面试在西雅图的微软总部里举行，西北大学的校友集中在那里，和排着队的申请人进行短暂的面试。

　　在主厅，一大堆盛装的女孩子紧张兮兮地闲扯，坐立不安地擦着手上的汗。我和面试主管聊了一会儿，原来他和他的中国妻子是在西北大学初识的。（OK，这里有和亚裔配偶在大学相识的公式吗？）他谈到对他妻子庞大家族的惊异——那得多谢她的祖父，他娶了三妻四妾。

　　真可惜，对我的召唤切断了这么好玩的谈话。我走到一个单间，面试官是一位和气的年轻人。和其他面试非常像，

185

只不过稍短一些，也没有私人化的问题。但是看得出来，我给他留下了深刻的印象。他说，一定会告诉西北大学的人们，我是一个不可多得的候选人。然后，我对他吐露说，真的很喜欢面试。他哈哈大笑，说我可能是紧张的候选人里面惟一一个不怕毁灭神经过程的人。我确信，这个小声明会带来一个意外的巧克力饼！

啊，最后，最后，我最喜欢的面试和面试官，达特茅斯的伯奎斯先生来了。我们在他妻子的办公室相见。办公室里环境舒适，有昂贵的艺术家设计的家具和让人心灵平静的音乐。对了，他也是在大学邂逅自己的妻子的，可惜，她不是亚裔。我很钟爱他的知识分子气质、异常良好的修养，就像麦克因托先生。但是他更……丰富多彩，更富有个人气质，思维更开放。

一个小时内，我们探讨了我最喜欢的书、家族历史、关于激情和时事。我们讨论总统、政治形势，那些你可以想到的任何题目。虽然我已经知道，达特茅斯不会是我的第一选择，但我实在喜欢和这位绅士谈话。他表现出了美国绅士的所有优点——教养和智慧。我知道，他也非常乐于和我谈话。面试结束时，他评论说，如果我申请的哪一所学校不接受我的话，他愿意吃掉放在沙发上的毯子。我内心深处觉得，这太过奖了。和哈佛面试一样，我真不愿意在此刻离去，但是，下一位候选人已经来了，我不得不和伯奎斯先生道别。

惟一遗憾的是，斯坦福没有面试，少了一次愉快的经验，少了一次和成熟、洞察世事的人们交谈的机会。后来，我对爸爸说，和其他人相比，我更喜欢和教育良好的成年男人交谈，他们通情达理、智慧过人、诙谐有趣，摆脱了女性的娇柔气息。和他们谈过以后，现在，我明白了，我永远不可能做一个家庭主妇，把生命埋没在清扫一个有一只狗和白色篱笆的小房子里。我想飞跃出去，品味整个世界，舒展我的羽翼。

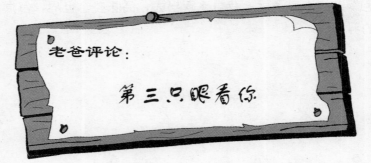

老爸评论：

第三只眼看你

　　大学需要知道你的修养和个性。面谈（interview）和老师推荐信都是通过第三者的观察，来综合评价一个学生的修养和能力。推荐信是每个大学都要求的，面谈只有好的私立大学要求。

　　推荐信包括两封老师的、一封学生顾问的。在帮助学生申请大学方面，Kate 高中的学生顾问们是比较差的。好的学生顾问会热情地鼓励学生申请好大学，并且给大学的招生官员们打电话，卖力地推销自己的学生。

　　我记得第一次去约谈 Kate 的学生顾问温兹先生的情景。他一听说 Kate 想申请常春藤盟校就大泼冷水，说那是豪门子弟才去得了的，这些孩子有各种丰富多彩的社会活动，父母有长期的校友活动和捐赠记录。这个学生顾问大力推荐 Kate 去报考军校，什么西点军校、海军学院。

　　军队早就给 Kate 送过各种资助申请表，无论她去什么学校，军队都愿意出钱，条件是毕业后为军队工作一段时间，大概至少五年吧。美国军队如同一个公司，在招人方面非常商业化，打广告、给资助，提前预定优秀的专业人员。实际上西点军校和海军学院的名气非常大，Kate 有个上一届的男同学很想去海军学院学飞行，可惜脖子受过伤，这个男生最后去了斯坦福（他爷爷和爸爸都是斯坦福毕业的）。

我告诉这个学生顾问，Kate 不去军校，她要申请常春藤盟校，希望理解这一点。这位先生看我不愉快，只好说他愿意配合。其实他后来除了写推荐信，没有做什么特别的帮助。温兹先生还算最好的学生顾问，可见这个高中的学生服务多差。

会谈后我告诉灰心的 Kate，不要信这个家伙的话，我相信这个国家的游戏有一定的公平性，不然就没有今天在科技、人文等方面的傲人成绩。爸爸 12 年前两手空空来到这个国家，靠的不是超人的才气和运气，靠的是公平游戏和多元文化才有了今天。你必须对这个社会有信心，任何人都有出头机会，这就是它对移民的魅力所在。看看美国历史，那些豪门的第一代移民曾在纽约打小工，不如爸爸我。聪明有种，富贵有根，咱们是中原文明耕读世家，在任何国家都会代代出头。

讲到推荐信，当年我们出国读研究生，老师的推荐信大都是学生代写的，请老师签个字就行了。那时有几个老师能写英文呀？愿意提笔给你写吗？能写好吗？我们代写的推荐信也都是从英语应用文里改编的，写得实在狗屁，空话连篇，如同报纸社论。

一篇好的推荐信读完以后，读者能被其中一句话打动并且不忘记，就成功了。这种推荐信要的不是文笔，而是真心和观察。两个老师都自愿地给 Kate 看了他们写的推荐信。

生物老师拜赛先生在信中写道："我从未在这个高中发现有另一个像 Kate 一样综合了天分、努力、智慧和工作道德的学生"，"她在九年级就修了我在大学才开始学的数学内容"，"Kate 是我们学校的最大骄傲"，"她激励我的教学

追求"。

历史老师萨福先生吹嘘 Kate 更是了得，"Kate 为 AP 历史班奠定了学习基础，提高了全班的学习要求。她为全班树立榜样，不，她就是第二老师"，"我从她那里学会了做一名更好的老师。我为曾帮助她认识自己拥有的巨大潜力而荣幸"。

Kate 被大学录取后，学生顾问温兹先生也把自己写的推荐信给她看了，温兹先生写道："Kate 是关心他人疾苦的人，她一直努力在发现回馈社会的最好职业"，"她珍惜享有的自由和对社会的责任，极愿为中国的现代化做出贡献"。

我知道，即便我能厚颜无耻在此引用这些夸张之词，你读到时也需要勇气。我引证的目的是让你看到老师们在写推荐信时如何毫无保留，如何具有创造性。美国文化本来就有夸人的习惯，正如《圣经》所说，管好你的舌头，多说造就人的话。

生物老师拜赛先生很早就告诉我，如果 Kate 被麻省理工录取了，希望 Kate 送他一面麻省理工的小旗，他要挂在教室里。我说，Kate 没有申请麻省理工，她申请的是哈佛，而且没有把握能进。拜赛先生说，我肯定能得到哈佛的旗帜。

我没有敢告诉拜赛先生，Kate 根本不会读他教授的生物专业。

大学还希望有机会直接观察申请人，判断此人的学识、修养和性格。这些大学在各地都有校友，从中选些有观察能力的校友，经过训练，长期替母校担任面谈工作。面谈完以后，就在标准的表格给申请人的各种能力打分，并写出推荐语。

这里我把 interview 翻译成"面谈"而不是"面试"，因为别人不考你什么问题，就是谈人生、家庭、文化、艺术，不会问你学习如何、得奖几个。就是通过聊天，看出你的性格、修养、器宇和学识，由一个经验老道的校友来判断你是不是学校要的那种人。

面谈重要吗？当然。有个朋友的小孩申请常春藤盟校，自费飞到位于东部的那个大学访问，系主任就亲自出来面谈。知道申请人的父亲是艺术家，谈话之中系主任就谈到一个欧洲绘画史问题，但申请人说，我对这些没兴趣。

结果，系主任很快就结束了谈话，结果当然是没有录取该生。如果你只对学习有兴趣，那么常春藤大学对你就没兴趣。它们希望招收全面发展的学生，而不是一技之长的专才。

你可以对艺术没兴趣，但是也得容许大学对你没有兴趣。

跟 Kate 面谈的哈佛校友是个退休律师。此人 16 岁进哈佛，19 岁哈佛本科毕业，22 岁哈佛法学院毕业，40 岁退休。作为一名律师，他当然是什么人都见过，最适合面谈申请人。他告诉 Kate，即便你有能力提前毕业，也要读满四年，大学不只是拿学位的地方，也是发展友谊的地方。到了研究生院吃住分开，同学关系就不如本科了。

记得西北大学借微软总部面谈申请人，Kate 进门前突然发现长筒袜破了，于是她光着脚就去了。结果呢，结束时面谈人直接告诉她，我要推荐学校录取你。

Kate 非常喜欢面谈，特别喜欢男性面谈人。她说容易跟男性相处，他们更豁达、智慧。我说，好呀，这正是爸爸喜欢的（不然怎么钓个女婿回来呀）。

达特茅斯是 Kate 的最后一个面谈。回到家里她说，可惜呀，我的面谈都用完了。多数孩子对面谈非常紧张，如同面

对考试，而 Kate 如同约会，乘兴而去、尽兴而归。

达特茅斯学院的面谈人非常喜欢 Kate，他们还争论了一个问题。事后那位先生打电话给 Kate，我接的电话，他要我转告 Kate，她是正确的，某总统说过那种话。他说，你有一个奇妙的女儿，我真诚希望她能选达特茅斯。

面试以后，Kate 最喜欢的学校就是威斯理、达特茅斯、哈佛。到此，我们知道威斯理和达特茅斯有些把握，哈佛呢？

第15章

汗水浇出了果实

——欢迎你到哈佛

成长1+1
Confessions of an American Nerd

　　有时候，朋友们真的被我激怒了，因为我是这么吹毛求疵的人。我关注于细枝末节，追求尽善尽美。你猜猜，我是从哪儿来的这个习惯？ oh yeah，你猜对了，正是我爸爸。（我其他的特点也是从他那里继承的。真想知道为什么没有妈妈的基因？ ——也许它们都隐藏在里面，没有表现出来。）所以，由我和爸爸这对货真价实、顽固的完美主义者来完成七个大学的申请表，没说的，工作量非常大。

　　我给这七个大学打了那么多电话，写了那么多 E-mail，窜进高中的升学咨询中心那么多次，都没办法数得清。还好，申请辅导员威廉姆斯夫人非常通情达理，她还夸奖了我的一丝不苟。我暗地里希望这样的辛苦会有回报。为把这些宝贝材料送出去，我相信这么操劳我要少活两年（且不说爸爸少活几年）。

　　这些烦人的申请还不是折磨人的全部，我还有一个大困难。我的法律文件名字是 Ke Wang，而所有试卷和分数上的名字是 Kate Wang，所以我必须对所有申请的大学不断解释。接着，学生顾问给哈佛的推荐信没有被收到，所以必须补寄一封；后来，萨福先生放在信箱的许多邮件寄丢了，所以，必须给杜克大学再寄一封……

　　一天，我终于崩溃了，哭起来了。我受不了了——所有这些连续不断的担忧，最后的期限，我的未来维系在几张申请纸上……如果没有学校要我怎么办？这个问题，我实在不愿意再想了。

　　一旦寄出了哈佛的申请表，我就把它抛在九霄云外了。不是因为申请哈佛没什么大不了，只是我没有真的期盼有什么结果。当然，我的短文十分美妙，我的面试给人印象深刻，但是，我也知道，他们会有不计其数、聪明过人的亚裔女孩，手里握着比我更能打动哈佛的资格。

　　所以，我集中全部精力，在 12 月上旬之前，把所有其他大学的申请表完成并寄出。这样，如果哈佛的拒绝信在 12 月中旬到来，失望已经不会破坏了我申请其他大学的努力。但是随着完成的大学申请资料堆积如山，我每个毛孔都在蒸腾着汗水。我内心起变化了，我决定非得进哈佛不可，要不然，这一切太不公平了。我为申请投入了这么多，无论是体力还是精神。这些不近人情的招生老爷们还想要什么？要我掏心掏肺吗？

　　在结果到来之前的两个星期，几乎每一天，我都要重温一遍我的资格：我有 SAT 高分、社区服务的经历、课外活动的范围广阔、学术奖牌、诚挚的短文、表现绝佳的面试、超级推荐信。是的，我并不完美，但是，这狗学校还想要什么呢？当然，爸爸不是那些百万富翁，无法阔气地对哈佛捐款百万。但是，哈佛也不像杜克经常录取一些富家少爷，以此增加大学的财富。

　　紧接着，我猛然想到这个事实，哈佛是哈——佛，嘿，毕竟是世界上最有名的学校。凭什么他们会要一个来自西海岸小镇的亚裔小女孩？这两种感觉来来回回地撕扯着我，直到我的心被四分五裂。所以，我放弃，不再想了，"见鬼去吧，我只是等待我的最后审判。"

　　一个星期五的下午，12 月 13 日，爸爸飞去中国的前一天（那年他已经绕地球两圈了），我决定看一下已经一个月都不去打开的 E-mail 信箱。像往常一样，有一大列白痴垃圾邮件堆在那里，等着我恶狠狠地点击"delete"。出我意外，我开始惊恐——还有一封标题为"录取决定"的信，来信地址是哈佛。我深吸了一口气。他们什么时候决定的呢？不假思索地，像有一股无形的力量在指引着我点击打开。随着阅读，我的心都要停止跳动了。

亲爱的 Kate:

　　我非常高兴地通知你，招生委员会已经录取你为 2007 届的学生，请接受我本人对你出色成绩的祝贺。

　　近些年来，超过 19 000 名学生在申请 1 650 个新生位置。面对数量远远超过席位的有天分、有才能的候选人，招生委员会非常慎重地选择那些表现出超凡的学习成绩、课外才能和个人修养的人们。在选择每一个学生的时候，招生委员会谨记，哈佛大学的优秀首先依赖于聚集在这里的人们的才能和潜力，尤其是我们的学生。在投票决定录取你的时候，录取委员会已经表明了坚定的信心，那就是：你在大学期间和以后的日子，会做出非常重要的贡献。

　　3 月上旬，你会收到从 4 月 26 日到 28 日参观哈佛的邀请信。我们的教员和同学已经为你们安排了一个特别的欢迎仪式，我们相信这将会非常有趣，对你最终选择进入哪一所大学也会很有帮助。当然了，你在其他时间参观哈佛，我们也会非常高兴接待。如果 4 月你不能来的话，我们仍然希望你能特别排出时间参观敝校。

　　如果以后几个月你无法来到剑桥市，不要客气，请告诉我们，如果我们能够帮助你的话。你可以在我们的申请手册和网页（www. college. harvard. edu）上发现关于学校生活的丰富的信息资源。我们会在明年春天寄给你一个课程表，帮你熟悉哈佛的课程选择。我们在信封里附上一个关于为什么选择哈佛的说帖，也许会对你有用。

　　请在 5 月 1 日之前回复是否接受我们的录取。4 月上旬会把全套的录取信及其他资料寄给你。

　　我们非常希望你能决定选择哈佛，热切盼望你能在

明年 9 月加入我校。

威廉·R·菲茨西蒙斯

录取及财务资助主任

　　看完第一段以后，我忍不住啜泣了，眼泪像断了线的珠子一样从脸颊上落下来，噼里啪啦滴在键盘上。我开始放声大哭。现在想起来难以理解，因为我应该高兴才对，我应该尖叫、狂喜！是的，我是很高兴，我心醉神迷，但是上帝赐予的实在是太多了。不，不是真的，这是幻觉，是一个梦！这样的好事不会发生在我身上！

　　我擦干朦胧的泪眼，再一次凝视着 E-mail——没有变，还是那样。我不能再多看一眼。关了信箱，下了线，我马上给爸爸打电话。他不在办公室。所以我继续抽抽搭搭，用了一张又一张的纸巾擦鼻涕，花了十分钟时间让自己完全安静下来，掐了一下腿（爸爸教的，做梦的话就不会疼），又打开信箱，把那封信再看一遍。我把它打印出来，握着纸，感觉到有形的安慰和确定感。随后，我又一个猛子扎到高度快乐中去了。

　　爸爸妈妈非常非常高兴，尤其是爸爸。他带我出去吃晚饭，我们谈论着我的将来。现在，王氏家族的教育传统被前所未有地加强了。

　　但是，很多中国父母也许会大吃一惊，我们像很多美国人一样，没有立即决定接受哈佛。很多人说："什么？你们有病吧？我想进哈佛都想疯了！你们还在等什么？"

　　事实如此，我申请哈佛是因为它的名气，爸爸推荐的，但是我对它的了解少而又少。我不愿意在明白哈佛精神之前，被它的光环遮蔽双眼。你会想，谁管这些呢？废话一箩

筐——那可是哈佛！

是哈佛又怎么样？如果我对它一无所知就去，结局会悲惨得要命，那才是废话一箩筐！我想要确定那真的是适合我的学校，也只有最亲近的朋友才了解我为什么不马上决定。

对于这个消息的反应基本上是令人鼓舞的。朋友们都为我骄傲，欣喜若狂，没有一丝妒忌。生物老师拜赛先生激动得几乎要哭了，他给了我一个拥抱。所有的老师都说："我知道你肯定能行。"我真想知道如果我被拒了他们会说什么……但是现在不说这种调皮的话！我试图保密，因为我不想让所有人都认为我在吹嘘，然后招人红眼。

不幸的是，人人都是大嘴巴，这个消息不胫而走，很快所有人都知道了。我的朋友特兰是越南裔，样子和我有点像。有一个完全不认识的陌生人走近她，问她是不是"那个进了哈佛的女孩"。连根本不知道我长得什么样子的人也知道了。我被搞得十分尴尬，但是与此同时，我也有点高兴，因为这显示出，即使很多学生都是浪荡子，但是我们的高中文化仍然多么支持学业上的成功啊！

你可能会以为，自从哈佛变成了囊中物，我就不再为其他大学牵肠挂肚了。错了，我比以前更关注申请过程。推荐信没有被收到时，我照样揪心地反复查寻，因为你根本不知道可能发生什么事情。如果哈佛拒绝给我资助，达特茅斯又慷慨解囊，天平就倾斜了，我就去达特茅斯。此外，我不想因为仅仅一次成功就堕落成一个自鸣得意的超级孔雀。我想对所申请的大学都公平一些，给它们一个机会竞争我，不论他们过去曾多么折腾我，毕竟那种折磨培养了我的宽容和耐心。

当然了，我可以松一口气，不用再晚上睡不着觉、抓掉头发了，因为我至少有一个地方可去了，只不过这个地方凑巧是哈佛而已。很多个晚上，我会冥思苦想，掐掐胳膊和腿，不相信真的被录取了。最终，我这个"书呆子"被肯定了，还获得了奖励。

哈佛不是录取的终点。下一个来的是公立华盛顿大学，它很慷慨地给我两年的玛丽·盖茨奖学金（比尔·盖茨设立的），可以抵消全部学费；然后是威斯理的通知；紧跟着是达特茅斯招生委员会主任的私人信件，确认我被录取了，官方通知将在一个月以后到达；西北大学招生办的主任助理的私人信件，说他如何欣赏我的申请材料。

然后，4月1日，所有的正式信件都到了，哈佛也寄来了第二封正式录取书，附上了厚厚的各种表格。但是有一个失望，与其说失望不如说是好奇——斯坦福礼貌地拒绝了我。真奇怪，我去看信箱的那天预感到会被拒绝，完全是漫不经心的直觉。

不，我不难过。我知道，每一年他们都有很多优秀的申请者。有一个故事说，他们把所有的申请表卷成一捆，滚下楼去，然后按掉下来的先后次序录取。我们学校的其他人也没有被斯坦福录取。虽然有些人为我愤愤不平，（哈佛录取了的人你斯坦福嫌什么？）但是我不。我的朋友梅莉莎很气愤，这让我感动。

其实到那时，我已经知道哈佛是我的优先选择之一。我是怎么做出决定的呢？被录取之后，我经常访问哈佛的网页，通读它的历史、传统、学校的目标、校园文化和理念。我向成年人咨询、阅读哈佛手册，还打电话跟哈佛学生讨论（达特茅斯、西北大学和华盛顿大学也都安排了学生跟我沟通）。哈佛对人文学科的重视、围绕广泛科目的多样化教育传统、由历史而铸造的尊严、悠久的传统和对每个学生的特别关注打动了我。

成长1+1

Confessions of an American Nerd

　　真正打动我的是，他们要求我和父母对我的弱点、我的个性和期望分别做一番评价，这样他们可以更好地给我生活和学习建议，帮我配一个融洽相处的室友。虽然每一个被哈佛录取的学生都得到了这个要求，但是我还是觉得自己好特别啊，因为他们真的想知道我这个人是怎么想的。所以，我最终可以对学校那些不断追问我何去何从的同学们宣布：我最有可能去的——是哈佛。yes！

老爸评论：

花落谁家

　　每天我和 Kate 一起去锻炼，在开车去体育馆的路上常常聊天。在缴出申请表以后的日子里，我们常常讨论谁会录取。哈佛吗？我告诉 Kate，要做好不被哈佛录取的心理准备。

　　Kate 说："爸爸，我生活到现在，从来没有失败过，从来没有被拒绝过，我不知道自己能否承受。"

　　我告诉她：你必须学会接受失败。失败才能让人成熟。中国有句话讲"人生三大悲剧，少年丧父，中年丧偶，老年丧子"。其实还有一悲：少年得志。一个人年轻时太顺利，可能会让人活得不知天高地厚，没有智慧，没有坚强。我希望你去哈佛的一个目的就是让你知道天外有天，学会承受失败。

　　如果被哈佛拒绝，你应该毫无愧色。因为能够申请哈佛的都不是平常之辈。你是你的高中里成绩最好的，既然你的高中就你一人敢申请哈佛；同样，申请哈佛的恐怕都是各高中最好的，两万申请人中要挑出一千多人，那是好上挑好。被他们打败，你是虽败犹荣。

　　Kate 的高中两年前有个学生去了哈佛，她妈妈是哈佛毕

201

业的。哈佛学院（本科叫 Harvard College）喜欢录取校友的孩子，还要预留约 10% 的名额给外国学生，在美国东部地区录取最多，整个西部 11 个州只录取 16%，大约两百多人。斯坦福更是喜欢录取校友的亲戚，是真正的地方化，一半的本科新生来自加州。

我家与哈佛毫无联系，普通的工薪阶层。但是，我相信哈佛追求卓越、求贤若渴，如果 Kate 真的优秀，不录取她是哈佛的损失。

此时，我读到一条报导，说杜克大学为了募款，每年降低条件录取一定数量的富家子弟。有个女生 SAT 才 1 150 分，没有其他杰出表现，也被录取了，因为她爸爸卖咖啡壶发了财，她妈妈许诺替杜克募款（还真募了两亿）。

不光是杜克，许多顶尖的大学都这么干。所以，除了公校华大外，我真的不知道哪一所学校会录取一个小镇的小康之家的小 Kate。

2002 年 12 月 13 日的下午，我正在五号州际公路上开车，车多，我被堵在路上，手机响了，是 Kate。她说："猜猜？"我说："什么？""我被哈佛录取了！"她说。

你知道我会有多高兴。事业和家庭是我生命的乐趣，能看到孩子取得成就真的令人高兴。多少天的辛劳有了回报，Kate 多少年的努力学习有了报答。

那天晚上，我俩坐在一个日本餐馆里，Kate 说："爸爸，我会不会是在做梦？"我说："你掐一掐腿，看疼不疼？"Kate 说："若是掐腿也是梦的一部分呢？"

我说，这样吧，你今天就点最贵的菜，如果是做梦，算咱们白吃了；如果不是做梦，你就被哈佛录取了。反正都是你赢。结果当然是我赔钱了，她进了哈佛。

纸包不住火，到了此刻，消息就流传开了。朋友们都非

常高兴。华人邻居们比较吃惊，因为 Kate 和我们保持低调，许多人不知道她平时的学业表现。例如，华裔瑟瑞娜有一天跟她妈妈讲："我们班上来了个新生，很聪明，就像 Kate 一样。"她妈妈说："Kate 聪明吗？"是的，Kate 看起来实在太平常了。

　　此刻，Kate 反而平静了，她说："如果所有的学校都不要我的话，至少有个垫底的。"她没有决定是否接受哈佛的录取，她可以在 2003 年 5 月 1 日前通知哈佛是否去，还有四个半月的时间做决定。

　　她需要看看其他学校，校园建筑、食堂、文化、教学、同学、外部环境、资助。至少要等到访问了哈佛校园以后再做决定。

　　许多人不理解，难道还有更好的吗？当然，学校牌子不是一切，她应该选一个适合自己的校园文化。哈佛虽然好听，但人不应该为"好听"活着。日子是要自己过的，别人都是看客。

　　之后，华大优秀班、达特茅斯、威斯理、杜克、西北都录取了她，只有斯坦福拒绝了她。当然，这不是说斯坦福更好，它与杜克等并列四到八名（2002 年），而是斯坦福的评价标准和判断与常春藤有所不同。摆平哈佛，还不能降服天下。这就是我所欣赏的一种文化，没有谁是真理，谁是老大，没有单一的评判标准。

　　高手过招，输赢只在细节。被哈佛拒绝的许多学生肯定不差于 Kate。任何大学都有超过哈佛学生之人。哈佛不是优秀的惟一代表，事实上哈佛也不乏平庸之辈。

　　人生的路很长，关键的时候只有几步，哈佛的确能给 Kate 一个非常有利的起点。但是，往后的路毕竟很长，事业、家庭、信仰，每一个方面都充满挑战，人生的努力和乐

趣也在其中。

值得一提的是，由于《平权法案》，大学会降低分数录取南美裔和非裔的高中生，白人和亚裔只能进州立大学的成绩，常常可以把非裔和南美裔送进哈佛、耶鲁。《平权法案》本意是为了防止人们因为种族受到不公平待遇，现在却成了不公平对待白人和亚裔的法律，特别是在大学招生方面。

按常规录取，发榜应该在 4 月 1 日，可是威斯理、西北、达特茅斯早就开始暗送秋波。达特茅斯招生办的主任给 Kate 早早写信说，虽然要到 4 月 1 日才发通知，但我认为没有必要藏住我对你的祝贺，你一定能被我校录取。

一旦录取书发出，各校立刻对被录取人发动攻势。各校学生会的头目、教授、普通学生纷纷给 Kate 打电话、写信。哈佛、达特茅斯、威斯理最积极。威斯理动员各色人物给 Kate 写信，有时一天收到两封，一半是手写的信呀（在数码时代，我有好多年没有手写过信了）！

申请大学到了这个阶段，真痛快！到这时，再好的大学也端不起架子。

我们打电话给这些学校毕业的朋友们，听他们评论母校的长与短。这时的 Kate，把手里的聘礼掂来掂去。个个都是世家才俊，拿不定哪一个才是芳心所在。花落谁家？

如果女儿考虑的是感觉好坏，爸爸考虑的则是对方家底是否殷实。爸爸的任务，就是填写申请资助表格，要争取好的资助。这一行动在拿到哈佛录取后就开始，行动代码是"芝麻开门"。

第 **16** 章

朋友们的大学计划

就冲我抱怨高中的那股劲头，你肯定觉得，那儿没有什么聪明人——大错特错。正如我前面说的，平均来看，我们 2003 届学生才华横溢，异常卓越。而且，大多数聪明孩子都是我这种人的朋友。她们在很多学习领域都要胜过我，不都是彻头彻尾的书呆子。这样看来，她们都理所当然地想申请常春藤盟校，并且也应被顺利录取才对。

well，不完全正确。你知道吗？对于大学，美国高中生的看法有所不同，尤其是在休闲的西海岸。在我的学校，大学的排名和声名远播不是优先考虑的第一要素——学校必须得对自己的胃口，我的朋友们把一些个人偏好也算在里面，比如气候、距离、规模、学费、地理方位。对很多人来说，竞争激烈、距离遥远、学费昂贵的常春藤盟校就像火星那么遥不可及，她们觉得，离家近一些、从奥林匹亚市跨出一步就能到达的大学最好。

是的，在华人的观念里，这是极端不可理喻的事情。有一度，我也这样觉得。但是我已经长大，学会了理解、甚至欣赏这样的选择。因为，这些选择反映了他们独特的个性和见解。

就申请大学而言，我的朋友分为两派：小巧的人文学科（Liberal Arts）院校派和巨无霸的公立大学派。

许多人并不了解，人文学科院校的重心在于本科教育，很多学校都只有本科，没有研究生院来分走教学资源。它们鼓励学生探索广泛多样的科目，跨越艺术、人文学科、自然科学和数学的疆界。它们通常都是私立大学（有一些例外，比如在奥林匹亚市的常青州立大学是极其雅痞的人文学校）。

一些常春藤学校，像布朗，甚至哈佛，也以人文学科倾向而自豪，但这不是它们的标志。大多数小的人文学科院校的学费和前 20 名私立大学相当。在美国，几乎所有好的私立院校都一样贵。

另一方面，公立大学是培养成千上万学生（几乎都是本州学生）的巨无霸。华盛顿州的州立大学主要有：华盛顿大学（我的很多高中同学锁定的目标）；它的竞争对手是华盛顿州立大学，此外还有中华盛顿大学、西华盛顿大学、东华盛顿大学。

一般来说，这几个公立大学的申请者都可以被录取，甚至这一组的佼佼者——华盛顿大学也没有严格的招生选择性。当然，它们不是那么糟糕，华盛顿大学和华盛顿州立大学有大量的研究机构，华盛顿大学医学研究的领先地位闻名世界。它们提供了质量良好的大学教育，为学生踏入社会做好准备，而且，对州内居民来讲，它们很便宜。

艾米丽——我最好的朋友之一，去年申请大学时让我困惑不已。她是我所遇到的最有才情的人之一，凭她敏锐的心智、超乎常人的成熟、对生命的投入和激情、乐观向上的精神、她的创造力和博爱，我知道，她足以到达高峰之巅，令所有人刮目相看。

所以，当她决定申请离家很近的一所小的私立人文学科院校时，我不由得大跌眼镜——这个学校小得我从来都没有听说过。我坦白地告诉她，她大大低估了自己的才能，她应该试着达到更高的目标。这一席话表明，我是多么地不了解她。你知道吗？艾米丽，撇开她的才智不说，拜赛先生叫她"家庭女孩"。她谦逊内敛，和家庭的关系非常非常亲密，以至于家庭会影响她的每一个重大决定。

在"9·11"事件的影响下，她不想远离父母，不想去任何开车半天不能到达的地方。她也指出，自己更擅长人文学科。而且，她痛恨人潮汹涌的大地方，一个安静的人文艺术

院校更符合她的个性和目标。她不需要一个常春藤的大牌子来肯定她的价值（就像自卑的我所做的），说实话，她一点都没有为它们动心。我相信，她是极少数无需超越万物就可以登峰造极的人之一。凭她正直的个性，她可以通过任何一条她所选择的道路，来获得成就和满足感。

另一个极端是，许多人申请家门口的那些庞大的公立大学。理由五花八门，对我来说都很难接受。艾米丽至少去了一个私立学校，那里非常个性化，教授们会给予学生单独辅导，到那里至少几个小时的路程。可是华盛顿大学——该死的，离父母、离奥林匹亚市、离高中，还有，离童年这么近！位于帕卢斯地区麦田里的华盛顿州立大学，一个沃尔玛商店就成为小城居民惟一的购物天堂。

更不用说，你会在州立大学里看见那些高中的旧面孔，与相同观点的人们相处。yeah，学费便宜又怎么样？这话是忠言逆耳。虽然，华盛顿大学至少还是个好学校，排名在前50名以内，但是，要我待在州内去读这些大学，没门！真是怪事，我深恶痛绝的事情居然吸引了我的朋友。

从初中起，我和朱迪和妮科尔就是好朋友，她们是我认识的最温柔、最真诚、不做作的女孩。她们从来没和我吵过架，彼此也没有红过脸，她们无比谅解我的坏脾气。她们俩是最好最好的朋友。事实上，是我介绍她们认识的，当时妮科尔还是我另一个朋友劳拉的死党，结果朱迪和妮科尔越来越近乎了。直到现在，我还为"破坏"了劳拉和妮科尔的友谊而感到抱歉，虽然朱迪和妮科尔在一起更融洽。

朱迪很早以前就决定要去华盛顿州立大学，因为她哥哥本尼在那里，因为她喜欢那里的地理位置和气氛，因为——事实上，她父母根本拒绝她去其他地方。他们想让哥哥本尼（顺便介绍一下，他16岁就开了自己的公司，还把它做得很大，好像有百万美元了）照顾她，因为朱迪健康状况不太好。既然妮科尔就像朱迪家的另一个成员一样，很自然地，她想跟随朱迪到华盛顿州立大学去，这样她们可以和本尼在一起——虽然离开家乡，但就像在家一样。

这两个女孩都非常聪明，但她们的愿望简单而容易满足。在美国，不是每个人都想成名成家，不是每个人都想富甲一方。有些人，像我这两个亲爱的朋友一样，只是想拥有快乐、平凡的生活，自己所爱的人能围绕在身边。我非常尊重她们的选择，正是这样的差异丰富了人性。

接下来，是一些介于二者之间的朋友。也就是说，那些目标很高，但是被吹毛求疵的申请过程极不公道地踢出来的。

黛波拉——我的知心朋友，我最钦佩她过人的才智、自觉的工作道德、成熟的见解和完美无缺的个性（我爸爸对她评价很高，这可是非常罕见的啊）。她想去学术声望很高的芝加哥大学、圣路易斯的私立华盛顿大学（Washington University in St. Louis）和约翰·霍普金斯大学，想得要命。这些学校可以和常春藤学校平起平坐。事实上，芝加哥大学学术研究之严格，甚至超过了一些常春藤院校，所以芝大成为她的第一选择。

她没理由进不去啊——一份动人的短文，顶呱呱的学习成绩、课余活动和极其漂亮的申请表。约翰·霍普金斯已经拒绝了她，但她还在芝加哥大学和华盛顿大学圣路易斯分校的候选名单上。但是，这个生性乐观、温顺的女孩，决定不再等待前面两所学校的音信，她要无怨无悔地顺从父母的意愿——去公立华盛顿大学。

我试图游说她，解释说，这两种学校之间的差别就像天上地下。但她郑重地告诉我，对她来说，公立华盛顿大学已

经足够好了。我很快明白，黛波拉像艾米丽一样，是那种无论走在何方都会成就斐然的人。因此，我不再为她愤愤不平了。

但是为另一个朋友梅莉莎，我心绪波动了很久。梅莉莎不理父母的好言劝说，不愿意去公立华盛顿大学。她和我一样，认准了排名前 20 名的学校。她父亲是英特尔公司的副总裁，学费不成问题。所以，她申请了布朗、斯坦福和伯克利。

虽然不像黛波拉一样资历不凡，但是，毫无疑问她也是个很棒的女孩，不该被轻轻放在一边。除了公立华盛顿大学之外，所有的学校都拒绝了她。她非常难过，因为一扇机遇之门已经向她关上了。尽管如此，她没有让生活里的一件不如意就毁了终生。很快，梅莉莎就盼着进入华盛顿大学，计划了一份快要胀满的选课单。

我为黛波拉和梅莉莎的乐观而惊讶——如果换了我，一定会觉得悲惨、沮丧、绝望、无路可走。这就是我的朋友们的伟大之处，也是我如此喜爱她们的原因。她们不会因为世界的苛刻无情就从此放弃，她们站起来，挥一挥手，不带走一片云彩，踏上一条新的道路。这条道路或许不同以往，但她们决心已定，所以，她们一定会收获属于自己的果实。

这时候，你一定想知道，到底有没有像我一样目标明确，并且达到目标的朋友呢？当然有！

比如说，我的朋友劳拉的男朋友被约翰·霍普金斯大学和西北大学录取了，虽然没有等到他的第一选择杜克（我决定拒绝杜克，希望他可以补上我这个位置）。莎霞，一个非常聪明腼腆的女孩，天才的小提琴手和演员，被康奈尔和伯克利录取了。另一个男孩，有一份令人异常难忘的简历（华盛顿州未来企业家协会主席、国家奖学金获得者、总统学者

候选人），赢得了波士顿大学（Boston U）和南加大（USC）四年的全额奖学金。见鬼的是，我恨的家伙，安得鲁·斯多克斯巴瑞，居然被杜克录取了。嗯，我们高中好像一点不寒碜嘛！

坦白地说，我们同城的竞争对手——首都高中考取名校的高三学生人数要超过我们。但是，我认为这样的统计不能公平、准确地反应我们毕业班的智慧和能力。什么是智慧？可不仅仅是二次积分或者平衡化学方程式，同样，它也不能被等级、考试成绩和考取的大学来证明。

智慧难以界定、难以捉摸，然而，它照亮了每一个人以自己独有的方式拥有的品质。不，才不是我们平常所说的"智力"，或者所谓对智力的"评估"那回事——是我们怎么运用它、游戏它，使之独为我们存在，奇妙地服务于人生，这才是真正有价值的。

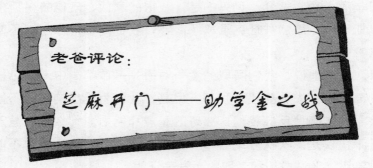

老爸评论：

芝麻开门——助学金之战

　　相传很久很久以前，在波斯国的一个小城，有一个青年每天都骑着毛驴进山砍柴，然后再拿出去卖。这个以砍柴为生的青年就是阿里巴巴。一天，阿里巴巴在打柴途中发现了强盗的宝库和开门密语。于是，阿里巴巴对着宝库大叫"芝麻，芝麻，开门"，沉重的石门"嘎吱嘎吱"打开了，阿里巴巴小心地走进山洞。天哪，这个山洞好大，在这个巨大的山洞里，到处堆满了金银珠宝，五光十色，看得人眼花缭乱。

　　现在我这个"阿里爸爸"，要为女儿的学费敲开大学金库之门。各学校的金库有多大呢？到 2001 年，哈佛各种捐款基金（endowments）就有 183 亿美金，是全美第一名。2002～2003 学年，哈佛的总收入是 22.5 亿，支出是 21 亿。这还不包括许多外来的科研基金，如 2002 年哈佛从国家健康研究院（National Institutes of Health，参看第一章注解）就拿了 9 亿多的研究经费，全美排第一。

　　耶鲁的捐款基金是 107 亿美元，排第二名，普林斯顿 84 亿，斯坦福 82 亿，麻省理工 61 亿，哥伦比亚 40 亿，西北 34 亿，杜克 18 亿，伯克利加大 14 亿，威斯理 13 亿，公校华盛顿大学 9 亿。不过，公校华大 2002 年从国家健康研究院拿了研究经费 4.3 亿，全美排第二。

在私立大学读一年要多少钱？各校差不多。哈佛 2003 ~ 2004 学年是约 4.2 万元，它包括 2.9 万元的学杂费，住宿和包餐约 9 000 元，个人开销如书本等 2 500 元，回家旅费 1 200 元。

美国的大学学费每年上涨，2002 ~ 2003 学年私校涨了约 5.8%，公校涨了约 10%。高教当然不是义务的，但一个人不应该因为贫穷而被剥夺受大学教育的机会。生于贫穷不是个人选择，有许多政策有利于穷人上大学。对于穷人孩子入读大学来讲，联邦政府有资助、低息贷款、私人基金资助，大学常常尽力补助不足部分。除了奖学金（merit scholar-ship）外，美国大学录取本科生是否给资助是"based on need"，即根据学生家庭的财务状况所需而资助。

前面讲过，常春藤盟校、杜克等只根据学生家庭的财务是否需要补助，而不根据优秀给奖学金，大概是因为录取已经是对你的优秀的奖励。所以"某某人（本科）在哈佛大学拿全奖"应该理解为因家庭需要"拿全额助学金"。

哈佛的招生官员说，为了防止贫穷影响到录取，哈佛讨论录取新生时不暴露学生的家庭财务信息给录取决策人，决定录取后，再检查其家庭财务，缺多少钱学校资助多少。这叫"公平录取"（need-blind admission）。其他常春藤盟校也都如此。

前面讲的两个朋友的女儿都被斯坦福录取，两个女生一样优秀，一家六口人年收入六万美金的女儿拿到全资助，包括食宿每年约四万美元，一家四口人年收入十几万的女儿没有拿到资助。

当然，情况有所变化，越来越多的私校（不包括常春藤

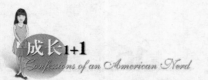

盟校）为了吸引好学生而开始设奖学金，即根据学生的学业优秀程度而提供的资助，就是中文讲的奖学金。譬如芝加哥大学就给我们写信，说会考虑提供每年 9 000 美元到全免学费 27 000 美元的资助。最近收到了一笔 3.2 亿美元的匿名捐款的伦塞勒理工学院也告诉我们至少提供 4 万美元的资助。当然，Kate 并没有申请这两所学校。

子女大学教育是中产阶级家庭的最大开销。如果没有资助，要我这个工薪阶层四年出 17 万美元来养一个本科生可是有点伤筋动骨了。怎么办，申请资助呗！

要申请资助，需要完成一个"联邦学生资助申请表"，即 FAFSA（Free Application Federal Student Aid）。学生和家长需要填报所有的资产、收入和债务，包括纳税表的复印件。此表送给联邦教育部评估，计算该学生家庭能负担多少学费和生活费。评估结果会直接送到该生申请的各大学，大学根据本校的学杂费和生活成本，计算出学生需要多少资助才能上学。

许多学校要求再填送一个 CSS 表，即 Financial Aid Profile，是大学董事会的一种财务评估表。这个非政府表格为大学计算资助提供了又一个参考。

资助来源于联邦政府、州政府、私人基金会，主要是大学的资助基金。资助的方式包括给予生活费、免学费、低息贷款、校内打工。

不是所有的资助需要都能得到满足。越是好大学，财力越雄厚，越能够满足学生的全部资助需求，财力薄弱的私校则没法满足学生的资助需求。公立学校对本州居民收费低，学生的资金缺口小，靠校外打工都读得起。

填完这些表以后，剩下的就是等待结果。我就像念完了秘诀"芝麻，芝麻，开门"的阿里巴巴，盯着石门的动静。

　　按照联邦的 FAFSA 评估结果，我有能力支付孩子的私校学费。美国政府的抬举让我垂头丧气了。记得在中国时组织上告诉我，知识分子是工人阶级，所以我一直觉得自己是无产阶级一分子。

　　各校的资助方案出来了，西北、杜克几乎没有给资助，而哈佛、威斯理、达特茅斯慷慨给予，哈佛给的最多。威斯理、达特茅斯给的资助是一半优惠贷款，而哈佛基本给的是助学金（scholarship），不用还。其实，哈佛近 70% 本科新生多多少少都有资助，其他学校不资助的学生，哈佛也给。哈佛还说，它收的学费本来就低于成本一万多，即使没有得资助的学生也相当于被资助了一万多。

　　哈佛不是赔了吗？不会。这些新生是"哈佛投资公司"新买的原始股，这些原始股将来会让哈佛捐款基金更强大。投资于人是最佳的项目。

　　所以，对于想读哈佛本科的学生来讲，只有"进不去"的问题，没有"读不起"的问题。不奇怪，哈佛一家的捐款基金就超过了麻省理工与斯坦福的总和，是杜克的十倍。这些基金当然要用到学生身上，不用，谁继续捐款呀？幸亏 Kate 申请了哈佛。看来，最好的不一定是最贵的。

　　把资助计划拿到手里，就只考虑哈佛、威斯理、达特茅斯。我倾向于哈佛，又便宜、货又好。但即便是去读哈佛，资助也远远不够，我每年还要付一大笔钱，我当然可以"为着我们的革命事业节约每一个铜板"，艰苦四年，冲破黎明前的黑暗。

　　不，我不节省。生活的美好决不能因为孩子上学而消失，我不能因此就改变消费习惯。有钱要花，没有钱借钱也要花。趁着年轻借来花着，老了再还债也不迟呀！

　　有一种教育贷款，利息相当于房屋贷款。我想好了，女

儿的大学贷款我只还一半，剩下一半以后由她自己还。孩子在美国能够接受经济自立的观念。我的同事里有哈佛、康奈尔、斯坦福和芝加哥等私校毕业的，读书时都是贷过款、打过工的。

我相信，越是自己付出代价的事情越会珍惜，也比较认真对待。让女儿负担部分贷款，就是让她能够爱惜学习机会，在挑选专业时多一点经济考虑。毕竟读书是自己欠了钱要还债的。加强经济观念应该是一个人的终生教育。

有一天，我问女儿，你要选什么专业呀？她说这是她的事，不要我管。我说：不对呀，我是投资人，我要问产品方向，了解投资去向，你身为这个项目的 CEO，要对投资人汇报业务呀。Kate 瞪着眼，觉得这样讲好像有理，可是让风险资本家干涉了她的选择自由又有点不甘心。

well, freedom is not free（自由不是免费的）。

资金方案落实了，还有一个问题，Kate 最后去哪个学校呀？

第17章

轻松的一面才更精彩

成长1+1
Confessions of an American Nerd

没有社会交往的生活真是索然无味，甚至有害健康。我可不是说应该变成一个 party 动物啊——每天晚上都全城通杀，喝个烂醉。我不是说那一类垃圾活动，那样的醉生梦死只会让人厌倦。经常和别人接触的社会交往，而不是只顾拥抱 50 磅重的书本，可以滋养你的心智，让你学会处理生活中的细小麻烦。

整整一年忽视和社会交往（应该是零），我暗暗发誓——高四，一定要有新的生活。上帝一定听见了我的请求，因为几件美事不约而同地发生，实现了我的革命性转变。

第一桩，因为只有四个学生出面申请，学校今年不设 AP 化学课程，所以，我不会淹死在化学方程式的海洋里。我解释一下——作为一个非常勤奋而且目标明确的华人，我不屈不挠地选修每一门困难的 AP 课程，即使我压根儿不喜欢那门课，即使它的家庭作业肯定会把我弄傻。你看，我本来真心是要选化学的，但是既然它自己根本就不出现，那我就可以毫无内疚地不理它了。

第二，我爸爸妈妈与一些华人父母的传统信条非常不同，父母认为我应该更多地放松。爸爸甚至警告我说，一定要注意，不要超负荷运转。

第三，大部分老师都对高年级学生非常亲切。这个东西就称之为资历。

没有毕业班的资历，无情的良心永远不会让我偷懒、让我放松。当然，有些人不能适应那种随毕业班而来的苦恼，会产生以下症状：迫不及待地想离开高中；做事懒散拖拉得要命；对于学校的作业普遍反应迟钝，态度冷漠；越来越不关心成绩。

高四第一学期如同高三，因为申请大学的慌乱和匆忙把我套进了一张网里，除了工作还是工作。寄出申请表后，我的工作道德就堕落了。

别误会啊，我没有变成吊儿郎当的懒虫，也没有落下任何课程（实际上，那个大言不惭的我在此非常高兴地向各位报告，我的 AP 英语考了 130，荣誉物理在前五名，我还是 AP 心理学的模范学生）。但是去年的那个钢铁意志的我已经进入冬眠期了。我很高兴，我可以随心所欲，而不因放纵自我而产生罪恶感。

我好同情朋友们，她们要在高四一年里面修那么多的 AP 课程（我在高三修过了），而我的作业少得可怕，几乎要令我觉得内疚了。我甚至想替她们做作业，但是再想想，作弊不是好德行。

所以，我转而决定奋不顾身地投身到烹饪里面——每个星期，我都要为痛苦不堪的伙伴们烤松饼、甜面包或者饼干，用碳水化合物给她们的大脑补充能量。不久，我的超级厨师的名声传遍了全校，而且随着名气飙升，对我的食品的需求也与日俱增。不再是烤一炉松饼，我很快就得烤两炉。我甚至开始琢磨，如果拿它来卖钱，生意一定很火。但是，我又觉得，给我的朋友烤面包，乐趣多多，赚钱就没这么快乐了。辛苦还在其次，我有更痛苦的经历。好多次引叫了烟雾报警、烤焦了饼干。但是，hey，这可是名厨成长经历中必不可少的一步啊！

但是，最糟糕的是，当我在切割、磨碎、搅拌、摸爬滚打创出名声的时候，留下了那些该死的烫伤、割伤和擦伤。我可以在胳膊上数出 3 个烫伤，手上 10 处割伤。爸爸还笑我说，如果我继续这么受伤，就没有一个人愿意娶我了。嫁女心切的妈妈一看到我的样子，马上跑到商店给我买了很贵的疤痕灵。（很有用哦，虽然见效好慢啊……）

你会觉得，自从我变成懒鬼之后，我的才气名声就下降

了。哈，你错了，一个有趣的现象发生了。事实上，我更受尊重了。不夸张地说，我才智过人的名声更响了，虽然我很少像去年一样开动脑筋了。人们经常要我提建议，请教数学、历史和英语，好像我是家庭作业的教主。

举个例子，我的朋友维佳不时地刺探我，想发现怎样才能在萨福先生的历史考试中表现得更好，什么样的短文才能赢得英语老师斯诺德先生的欢心。虽然我试图告诉她们，因为高年级效应，我的大脑已经沿着僵化之路走入歧途了，但是，人们只是把我的辩白扫在一边，照问不误。oh，well，我想，这么年轻就受到"崇敬"，我不应该发牢骚啊！

我培养了几个嗜好，有些可不值一提哦。因为我没有那么多家庭作业，每天晚上只做 1～2 个小时（嘘，别告诉任何人，尤其是我的同学们），所以我都要勾结技术这个魔鬼，也就是打游戏、上网。脑筋麻木迟钝的时候，我会一连几个小时玩单人纸牌，或者 free call，只是茫然地盯着电脑屏幕，不停地点鼠标。

过了些日子，我觉得这种缺少大脑刺激的活动很没劲，于是又相中了上网和聊天，它们成了我的救星和浪费时间的手段。尤其是高四第二学期，我可以同时和十个人聊很久，同时还在看邮件搜罗更多的松饼和饼干食谱网页。

网络令人敬畏的一点是它的非个性化。在网上，我以一种面对面时从来不会使用的方式和他人说话。只要爸爸一听见我疯狂地敲键盘，敲得快要着火了，他就知道我又在喋喋不休地和狐朋狗友们在网上聊天了。

hey，我不是那种聊天狂啊！我最近一次深夜聊天也只不过到凌晨 1 点，不像有的人，一直聊到 4 点！而且，我不是所有时间都在线（像我的朋友戴维，他每周 7 天、每天 24 小时在线）。不是我不想，而是因为我家用的是愚蠢的电话上

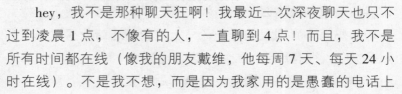

网。每次一有电话进来，我就被踢下线去。好几年了，我缠着爸爸，让他换成宽带，但是他实在是个根深蒂固的小气鬼（或者懒虫）。好吧好吧，事实上，我不该抱怨，因为至少，他还允许我在网上聊天。

最后，也许是最有用、最像样的癖好，那就是收集菜谱，给它们分类（当然了，必不可少地要使用它们）。妈妈知道我对烹饪的狂热，给我买了一摞烹饪书，从中国菜烹调到如何烤各种饼干。我花了巨多时间，按照技术水平、特别菜、主菜、季节和场合给它们编目录。每次我从图书馆抱回50磅重的烹调书，都津津有味地好像在读《红楼梦》。我的朋友梅莉莎送了我一本《1 001种糕点》作为我的生日礼物，来鼓励我。这本书也被我贴上了自己分类的标签纸。

当多数人挥汗如雨地做着家庭作业时，我快活地一页一页地翻着这些美味食品。朋友们觉得我真是发疯，但是她们很纵容我，因为她们从我的疯狂里得到了美食。迄今为止，我只尝试了几个小甜饼食谱，但是我打算在夏天过完之前把这些食谱全部试过。那要用掉500磅面粉、100磅糖、1 000盒牛油、2 000个鸡蛋！啊，还要留下50个烫伤在我可怜的胳膊上……

事实上，直到最近，我的生活才变得有声有色了，这要多谢这几样：男孩、舞会、party、电影和做媒。没错儿，听起来非常浅薄，你肯定会想："等等，你不是说过'舞会真恶心，男生太愚蠢，所有这些事情都很肤浅'吗？"

是的。但我也说过，这一年我改变了许多，也许这浅薄就是社交再充电的副产品吧。我已经开始这样来看待浅薄：在所有时刻都一本正经太累人，浅薄可以解放你的大脑，使你放松。我可不能在花季年龄就变成一个紧绷绷的知识分子，我也不能到20岁时就长出白头发，胡子一大把！

除此之外，我从前对社交太挑剔了，这些事情并不是真

的那么浅薄，它们是几乎每个美国少年生活中不可或缺的一部分。尽管我远远不是那种标准的美国少女，但我也有权力享受一些青春乐趣！不管怎么说，让我回到正题，我想你们会对我的肥皂剧生活非常感兴趣。

去年，我开始害怕自己会变成一个机器人，无法感受、不能萌生爱情。还好，今年，我身体里正常的人性复活了。我开始对身边的人感兴趣。（听起来很自我，是不是？）我就喜欢一个人——扎克，从中学开始，喜欢了很久。在高中，我们只是朋友。然而，我以前是那么古板而腼腆，很少和男生说话，甚至于不怎么正眼看他们。（听起来像一个传统的中国女孩啊！）

well，今年，我又开始注意他。在春假之前，女性的直觉使然，再加上黛波拉的多次暗示，我发现他也在注意我。所以，春假期间，很多亚裔和白人女孩决定一起去戴维家，开一个电子游戏 party。我主动提出，聚会之前请她们到我家吃茶点，因为爸爸终于肯放少年人进我们的家门了。

扎克（他有一半日本血统）和他的双胞胎哥哥达斯汀来了，黛波拉、戴维和其他人也来了。在我家逗留了几个小时以后，我们去戴维家（他和我住在同一个社区），在他家的花园里打排球。

硬邦邦的排球在我们娇嫩的身体上留下好多淤痕。为了不要弄得遍体鳞伤，我们窜到戴维家的厨房。在那儿，我发现了扎克送给我的一件东西：一束玫瑰和一盘用巧克力做成的字 "KATE PROM ①"。oh，天哪……我一句话也说不出

① Prom 是高中毕业班和大学的正式舞会，需要提前很久(有些人甚至提前几个月)约定女舞伴。为此需特制礼服，男生会预订一个高雅的晚餐。到时候，男生着一身礼服，开车来女生家接人，两人合影（如同订婚照一样），然后共赴晚餐，然后跳舞。这种合影照片会被双方及其父母招摇很久。

来。没问题，肯定答应他的邀请啦！

我看见黛波拉在窃笑，就知道这件事肯定她也有份。well，一举两得，这正好解决了我的一个大问题——舞伴！

好意外啊，爸爸妈妈没有大惊小怪！我想他们也意识到，昔日那个小毛孩已经长成大姑娘了。妈妈带我去时装店。（好好好，没错儿，我曾经说过美国女孩子在衣服上浪费太多金钱，但是我还没有一件正式礼服呢。就当是一项投资，这一件我会一直穿一直穿，直到穿破为止。）

来来回回试了两个小时之后，我选中了一件奶油色紧身女胸衣（没有吊带，非常暴露，但愿爸爸不要临时找张床单盖住我）和一条用黑色丝带在后背束紧的、瑟瑟作响的塔夫绸裙子。哇，这两件衣服又优雅又时尚……而且，值两百块那么多。但是，hey，我说过，那是投资，而且因为是两件，我可以和其他衣服搭配来穿啊！

你知道吗？走出时装店，我一下子觉得长大了，好像选择礼服就是一次成人礼。我这辈子从来没有穿过这么成熟、这么性感的衣服啊！而且我感觉到：天哪，我长大了！我有约会了，还有礼服，我已经 18 岁了（这意味着我可以合法买香烟、买彩票，但我宁愿两样都不买）。小 Kate，Kate 小姐，Kate Wang 小姐。这个短语读起来多么悦耳！

既然自己有了约会，我就变成了一个坏媒婆，还想撮合其他所有人。先说梅莉莎。我劝说扎克去暗示他们数学班一个叫安德鲁的男生（曾是梅莉莎的朋友），请梅莉莎做舞伴。

大功告成以后，我又开始解决黛波拉。我甚至不用使劲，因为太明显了，在男生中间，黛波拉非常抢手。哈里——一个越南男孩，很喜欢她，想请她做舞伴，但是她待哈里只像一个朋友，所以哈里爱在心中口难开。同时，约瑟

夫——一个中国、夏威夷、日本混血男生、彻头彻尾的绅士，也倾心于她。但是，他是哈里的朋友，而且知道哈里非常喜欢黛波拉，所以他不想夺人所爱。

正当我和约瑟夫说服哈里开口邀请黛波拉、而她也接受了的时候，扎克的双胞胎哥哥达斯汀又开始对黛波拉大献殷勤，尤其当我告诉他，黛波拉曾经暗恋了他一年（我跟你说过的，这简直就像肥皂剧的情节）。所以，现在情形复杂得不得了，我还在等待剧情继续发展。最终，男配角约瑟夫邀请了一个越南女孩海燕做舞伴，达斯汀邀请了莎霞——我那个被康奈尔录取的聪明女友。

我费尽千辛万苦也没有摆平艾米丽，她对高中生完全没有兴趣。我还想方设法帮劳拉也找一个（劳拉的男朋友尼克要去西北大学，这是个恐怖的猪头，居然拒绝带她去舞会）。现在我彻底罢手，为她们操心简直让我殚精竭虑。顺其自然好了，该怎样就怎样吧。人类的感情实在难以琢磨，更难以料理。

王可和她的朋友们
（左起：艾米丽、曼姬、梅莉莎、王可、黛波拉）

　　春假之后，我的社交生活进展得像风驰电掣的银色宝马跑车。三月初的三天之内，我在家举办了两个大 party。第一个是我和梅莉莎的生日茶会。我花了十个小时烹饪，做各种吃的，食物堆成了小山。我们也做游戏、聊天，特好玩。二十多人来到我家，门口停满了汽车，这可是我们安静的邻居们前所未见的。男生们为我们买了好多鲜花，桌子上密密实实放满了花和食物。紧接着，两天以后——星期一，我英语班的全体成员来到我家后院，用烧烤来庆祝 AP 考试的结束。

　　oh，哥们儿，做了这么多天的主妇之后，我也得喘口气啊！就在同一个星期，我开始了一个马不停蹄的娱乐日程表。星期三，我去看扎克的最后一场足球赛，对方是我们的同城死对头首都高中（我们输了，见鬼）；星期四，我和扎克、达斯汀、黛波拉一同去看音乐剧《Anything Goes》；星期五，同一拨人来我家看录像《X 战警》第一部；第二天，星期六，我们去电影院看《X 战警》第二部！

　　我开始觉得良心不安了。我应该来写最后两章，结束此书写作；应该复习 AP 心理学。但是与此同时，我改变了自己的书呆子形象，我向所有人证明了我也可以寻欢作乐哦。虽然我不会放弃我的学业，（开玩笑？放弃学业？我才没那么堕落……我还想带着一个 4.0 的成绩毕业呢！）我已经决定，放假以后，我要弥补去年失去的享乐。学期结束前，我要暂时监禁自己。但是一等暑假来到……瞧着吧，丫头们！

　　你一定已经注意到，从开始到现在，我的社交生活已经不可同日而语了。我永远无法成为一个交际花，但是我已经非常满足于现在的转变。我从清心寡欲的书虫子变成一个活泼的女孩。在这个转变中，我变得更乐观、更快乐。

　　你知道吗？优秀成绩和至尊的成就当然可以带来骄傲和

快乐，但是，和朋友相伴，和喜欢的人在一起，听到人们的欢笑，感觉人们的情绪，会让我愉快而充实。我永远永远永远不会再像高三一样生活，即使这种人性灭绝是暂时的，即使可以获得回报，但是长此以往，会伤害一个人的身心。

所以，我下定决心，要享受大学时光（不不不，可不是 party 和酗酒）：参加更多的社交活动，寻找更多的朋友，和他们相处，我要体验生活中远离作业和考试的一面。所有这些，而不是考试分数和试卷，会真正塑造我的性格和命运。有时候，生命里轻松的一面才更精彩。

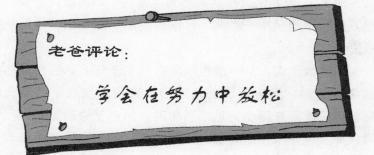

老爸评论：

学会在努力中放松

哈佛学院有个传统，邀请每个新生家长给校方写封信，谈谈孩子的特点，以便大学更好地帮助新生适应大学生活。我写了一封长达两页的信，让我把其中几段摘录出来：

她对学习有较高的期待，对懒惰的人比较严厉。换句话说，她可以是一位严厉的小姐。她强调细节的完美，从而给自己带来紧张，给他人带来压力。

她是一个紧张的人，不能忍受浪费时间。然而她真的需要学会放松一点。压力会引起她脾气变坏和哭泣。烹调、阅读和锻炼是她释放压力的日常方式，友谊和社会交往使她更为放松。

她愿意社会交往，但是基本上是一个安静的人。她对大学最担心的事情是：住在嘈杂的宿舍里，室友太爱舞会和社交。她喜欢安静的环境和早睡早起。她也绝不想跟一位憎恨社交的书呆子住一起。她对别人的回应比较敏感，对他人的感觉和需求也比较敏感。她对朋友非常关心。

227

　　我一直忧虑 Kate 不够放松，她需要增加社会交往。看着高三时 Kate 因为压力和紧张整天挂着的一副苦脸，我真的希望高四时她能轻松一点。到了高四的最后一学期，她果然豁出去了。

　　她喜欢烹调，从小就爱收集各种菜谱秘方，经常试验制作各种食品，是电视食品频道的忠实观众。到了最后一学期，她每天要在厨房里忙活两小时，为自己做饭菜，为同学烘糕点。落得双手到处是刀伤和烫伤。好吧，只要她喜欢，业余爱好能让她轻松愉快。再说，Kate 同意我的看法：烹调是女孩子的必修功课。英文说 "The way to a man's heart is through his stomach"（征服一个男人的道路就是打通他的胃）。

　　Kate 说，她的理想事业就是开一个中餐馆。我说，好呀，哈佛毕业生开中餐馆，你是第一人。目前中餐馆没有世界顶尖的，你可以创一个高级中餐品牌，在纽约、巴黎、上海、东京各开一家，食客必须提前很早定位，由餐馆为每桌设计菜单，每个包厢设计成中国某个朝代的民居。

　　天哪，爸爸你真是有主意。

　　当然，当然，你可以特聘我做你的创意总监，发展文化中餐，我们父女联手出击，笑傲江湖。

　　是的，爸爸。如果届时敝公司有你感兴趣的空缺，欢迎你把简历寄到公司的人事部门。

　　Kate 最近开始上网聊天，一挂就是半夜，早上起不来。她原来可是每天十点上床，六点半起来的机器人呀！我告诉她，不要和陌生人谈话，网上狼多着呢，小心被叼走了。

　　我是前门拒狼，后门进虎。这条小虎是 Kate 从小学到高中的同学，叫扎克。扎克的爸爸是个白人，妈妈是日裔。一般来讲，华裔父母希望孩子在同族通婚，许多犹太人，要女儿寻遍天涯，也要嫁个犹太男人。Kate 的同学杰奎琳的妈妈是个犹太人，爸爸是信天主教的爱尔兰人，他们在罗彻斯特大学相爱。为了结婚，她爸爸改信犹太教。

我不要求 Kate 只嫁华裔，但男方要喜欢中国文化（尊重孔教），因为 Kate 喜欢中国文化。当然。最主要的是他要喜欢 Kate，Kate 要喜欢他。Kate 问，你对我要嫁的人有没有要求呀？

我说有呀，身高不能低于我。Kate 说这容易。倒也是，拿根杆子从我的头上横扫过去，打倒一半以上的美洲豹。其实谁要娶 Kate，我是很感恩的，她让我担心、操劳这么多年，有人勇挑重担，我是求之不得呀。所以，你看在美国的婚礼上，都是老爸挽着新娘，拱手交给新郎，撒腿就跑，一个个乐呵呵的——推卸责任呀！

Kate 说，我才不会嫁给第一个约会的男孩。看来，这种高中约会只是练习作业。我第一次见到扎克时，他给 Kate 送来毕业舞会邀请。邀请装在一个大盘子里，用巧克力烘的字"KATE PROM"，配上一束红玫瑰。我跟扎克握了握手。

后来，Kate 说我不够热情。好吧，我热情一点，去看扎克的足球赛——扎克是高中足球队的。Kate 为全队烘了蛋糕，把每个队员的名字都烘在蛋糕上，没有给爸爸剩一块。我没有计较待遇，冒着傍晚的寒风去捧场。

那天扎克非常卖力，在对方门前转了好多圈，虽然满头大汗，到底技不如人，二比四输了。我告诉 Kate，踢得不错，这场球赛双方都有些进球，世界杯比赛有时一场还进不了俩球。

Kate 为舞会定制了衣服，从波士顿买了跳舞的高跟鞋，第二天早上就穿上那双高跟鞋去上学。我问她为什么提前穿高跟鞋，很难受嘛。她说，要提前穿一下，适应性训练。

啊，到底是学习有方的人，还要先做作业。看着尖尖的高跟底一步一戳地踩在地上，人在上面摇摇晃晃。我不心疼高中的地板，我怕鞋跟上面的宝贝万一掉下来可怎么办！约会的力量是无穷的，我好羡慕足球队员扎克。想当年，Kate的妈妈也没有为我冒险爬上这样的高跟鞋。生不逢时呀！

Kate 为了讨好扎克，在比赛时跟扎克的妈妈聊天、照相，给扎克的双胞胎哥哥找女朋友，甚至企图把有主的黛波拉拖下火坑。不过，我没有理由抱怨扎克先生，Kate 现在放松多了。

我告诉 Kate，不要把人生当成登顶，只顾埋头攀登，无心抬头看景，稍微玩一下就顿感内疚，生怕落后于他人。常常未及山顶，生命就到了尽头。这样的人生值得吗？

我告诉 Kate，要学会在努力中放松。人生如同游山，登顶不忘驻足赏景，学会报答自己，请自己喝一杯，唱一曲，睡一次懒觉，看一场电影。琐碎乃生命之美，从些微小事中体会乐趣。即便未能登顶，也无需泪洒罗衫、如丧考妣。你已尽享人生乐趣，何憾笑傲江湖？

Kate 说，爸爸，你怎么把懒骨头的话说得这么理直气壮？

哈，丫头，我从来不让真理朴素登场。

第18章

我的心飞向了大学

你是否曾经梦想过什么（遇上白马王子啊、成为电影明星啊、住在世外桃源啊），并且就在这些空洞的想像上，慢慢地形成了自己的理想世界？然后，撞上冰冷的现实，万念俱灰。

yeah，我知道，大多数人都经历过这样的失望，我也一样。所以，当必须在这些大学中决定何去何从的时候，我告诫自己小心从事。尽管哈佛在脑海中灼灼发光，但是，除非亲历其境，我还是没有办法认识一个真实的哈佛。

阅读《哈佛手册》、浏览网页，并不能得到全面的了解——哈佛从来不会开口说：我们的宿舍太恶心了，我们的教授为了得到终身教席而痴迷于发表论文，只能让助教教授本科课程。嗨，他们才没那么傻呢！所以，我一定要亲自发现真相——这就意味着，要在4月末去哈佛，参加为欢迎录取的新生准备的参观活动。

在出发之前，我参加了一个在西雅图莫瑟岛举行的party——哈佛校友会欢迎华盛顿州西部新录取的哈佛新生。如果你不知道莫瑟岛，我告诉你，那是商界肥猫们如保罗·爱伦居住的地方，那些即使不是富甲天下但也算是腰缠万贯的商人们、银行家、律师们毗邻而居之地。

去莫瑟岛之前，爸爸半开玩笑地建议我空着肚子，他说，那儿铁定有成吨的美味佳肴。我提早到达了，果真不出爸爸所料，那儿陈列着异常奢华的美味奶酪、肉食、奇异的水果、精制的面包、刚出炉的饼干和各色饮料。但是，食物只是其中一部分而已。从卫生间到窗外的湖景、到家具、到灯光，整个房间，吸进呼出的空气中都是豪华的味道（我轻手轻脚地，生怕弄脏了这美妙的住所）。有那么一小会儿，我骨子里的享乐主义开始作怪，对自己说，如果去了哈佛，将来的物质生活就是如此。看看，还没有去就贪图哈佛了。

但是，party 的中心不是住所，而是人们。我和校友们交谈（大概这是我生平惟一一次和阔佬投资银行家说话，而不用流着口水，像个半傻一样），和同一批被录取的学生聊天。

真是令我惊喜交加啊，这些新生居然很正常！！！不，没有挎着计算器、穿着点缀着紫色小方格的橙色花呢制服的男生，没有戴着厚厚的眼镜、把莎士比亚倒背如流的女生。事实上，他们看起来正像从我的奥林匹亚高中走出来的一样。

这里有游泳队队长、田径运动员、足球队队长。最妙的是，好多人只是一时兴起，或者就在最后一分钟临时决定申请哈佛的，仅仅因为哈佛是他们所能申请的最好的学校。没有豪门望族，没有家族校友关系，没有不可一世的优越感。能够被哈佛录取，大家都说非常惊讶，也有顶尖大学拒绝了我们啊，为什么哈佛选择了我们？

那天晚上，带着这个没有答案的疑问，我离开了莫瑟岛。希望哈佛会给我答案。

4 月 25 日清晨 5 点，我睡眼朦胧地从床上爬起来，在半梦半醒之间，磕磕绊绊地来到机场。我想在飞行途中打个盹儿，但是努力了 50 次都睡不着。于是我像一个好书呆子一样开始做英语作业，在旅途中写写画画。啊，我已经长大了，正在远离父母，横穿美国。虽然听起来很薄情，但是，说真的，我完全忘记了爸爸妈妈。我就是 Kate Wang，一个独立自主的年轻人飞往波士顿。真是令人振奋啊！

well，下飞机的时候就不那么振奋了！我有点发晕，立刻开始痛恨波士顿的罗根机场。只有在坐上爸爸朋友的汽车前往剑桥市的时候，波士顿的落日才给了我些许安慰。

实际上，第一眼看到这个城市的时候，我非常郁闷。一

堆一堆又傻又笨的建筑挤在一起，破破烂烂的大门，满是杂物的人行道。但是，当我们驶近著名的查尔斯河，眼前的景色奇迹般地改变了。河面波光粼粼，落日熔金，人们在悠闲地漫步，公园曲折环绕。不时有人跑步经过，脸上红扑扑的，闪耀着青春和健康。我惊呆了。

这个城市是鲜活的，跳动着自己的节奏，人们无所不在，充满了活力，就像中国一样！城市有着自己的灵魂，种种精神贯注于建筑物，赋予城市一种文化、激动和多元化的气氛。这座城市不是建成的，而是历经岁月生长而成。它的开始就孕育了美国的演化。还没有看见哈佛之前，我已经爱上了波士顿。

以前，我已经听过很多关于哈佛的传说。天南地北，说什么的都有，有人说，"哎呀老天，那么美丽炫目"，也有人直截了当，"哥们儿，简直难看得一塌糊涂"。

所有这一切，在我瞥见缓缓上升的、光辉灿烂的红砖城堡的时候都消失了。不是美丽炫目，更超乎此，超乎语言表达。沐浴在夕阳的金辉里，哈佛就好似置身于一个古老世界的摇篮。这个世界我心仪已久，典雅优美、魔力无边。还没有踏入校园，我已经感觉到了多少世纪以来的传统、荣誉和风致。在那里，感觉太对路了。

well，哈，一到达位于拜勒大楼（Byerly Hall）的招生办公室，这些美妙的感觉就烟消云散了。我立刻撞上成堆的新生必读材料，含糊不清的导游说明，准新生们在狭小的接待室里拥挤不堪。

我又累又饿，找不着北，拖着行李到了寄存室，打电话给负责接待我的宿舍东道主——一年级新生。显然，没人通知她们我今天要到，她们在电话里臭骂招生办的老爷们。我心彷徨，彷徨，彷徨，她们不欢迎我吗？

　　然后，我听到周围几个富家子弟在说："没错儿，从小到大，我都觉得哈佛是最好的学校。你知道吗？斯坦福都不能和它相比。我是说，我全家人都喜欢哈佛。我叔叔是好莱坞的导演。"天哪，这些少爷小姐怎么也来了。然后，一个带着鼻音的女孩子气的声音说："我的妈呀，上哈佛是我童年的梦想，能到这里太太太高兴了。"天哪，一个芭比娃娃。上帝啊，救救我吧！为什么哈佛会要这些人呢？

　　我非常沮丧，随便选了两个外表友善的男孩一同走去哈佛园——主楼群。外表友善可不意味着绅士风度。他们空着双手，我在和四件行李搏斗，但先生们根本不知道伸出援手！这是哪回事儿！我原来以为哈佛男生都应该很绅士的嘛。他们怎么都是这个样子？啊，上当了！

　　那天晚上，在寄居的宿舍安顿好以后（我的东道主塔丽亚，是一个漂亮的犹太交际花），我坐在行李前面，气得吹胡子瞪眼睛。晚饭也令人丧气，陪我和其他准新生一起去食堂的塔丽亚的室友可不是我的类型。一起的有个台美混血儿新生还不错，但是我们没有什么共同语言。

　　所以，我只好愁眉苦脸地一直等到塔丽亚回来，然后心情低落地钻进睡袋。我想，她们也注意到了我的情绪，因为在以为我睡着的时候，她们说我是多么厌恶社会交往啊。可是，这不是我的错啊！我疲倦，迷惘，难过，而且，啊，我这么孤独！我没有找到一个朋友，已经开始痛恨吵吵闹闹、卫生间黏乎乎的宿舍（虽然宿舍楼本身非常好）。

　　但是，闭目休息几个小时后，一切疲倦都平复了。宿舍里另外一个准新生来到了。我完全清醒地听她唧唧呱呱地直聊了两个小时，聊她作为一个传统的犹太人、必须要找一个犹太男朋友有多困难，聊从出生到现在所有的生命历程。我只捞住机会插进了两个完整的句子。

　　第二天早晨，我照计划去看望在威斯理的高中校友凯·麦克因，游览威斯理校园。天空下着蒙蒙细雨，阴暗的乌云加重了我的不平。我此刻恨透了哈佛。我不想去那里，多谢您让我访问看到真相，即使您是世界上最好的学校我也不去。

　　在去威斯理的汽车上，无意中听到三个威斯理的女孩闲聊前夜在麻省理工的聚会醉酒（所以她们没赶上昨夜的公车），我变得非常沮丧。如果大学就是无穷无尽的 party，我可完全没有做好这个准备。

　　还好，凯愉快的迎接让我暂时忘记了哈佛的冷漠，我很快爱上了威斯理。这里的空气如此安逸、亲密、温暖，凯好像认识这里的每一个人！教室很小巧，布置高雅，特别可爱。嗯，我想，选择威斯理应该更好。

　　下午回到哈佛，对这一天我根本没什么企盼。你知道吗？只有我们这帮新生在那儿自己管自己，才没人搭理我们。整整一天我被踢出了宿舍，因为东道主才有钥匙，而她们总是在外面应酬、聚会。

　　还好，我参观校园的时候碰到了山姆和美娜，很快忘了昨晚令人郁闷的经历。她们两个没有自命不凡的臭毛病，说到底，不是富有的白人小孩。美娜是墨西哥裔美国人，山姆也是。

　　午饭后，山姆去看共和党和民主党的辩论，我和美娜去哈佛广场的街道溜达，购买哈佛纪念品——衬衫、笔、水壶、玩具动物，等等。她直率地讲了很多自己的事情，谈论作为少数族裔的苦恼。

　　美娜在加州的高中主要是白人孩子，当她被哈佛和斯坦福录取的时候，很多人都不以为然，因为她是墨西哥裔享受低分录取的。与此相反，他们对另外一个同样考中哈佛的白人女孩就非常友好。她承认自己的 SAT 只考了 1 280 的低分，但是，她有一个 GPA4.0 和很多才艺。奇怪的是，她反对平权法案照顾弱势种族，她相信，人们应该靠自己的才能来考取大学，而不是依赖于低分优惠。这一观点让我佩服，我看出，她不富有，也完全不娇纵，全靠自己脱颖而出。

我们还碰到一件趣事——我和美娜停下来，向一位衣冠楚楚、十分友善的英国绅士询问方向，后来发现他原来是副院长！我们大为惊异，和我们擦肩而过的某个老先生可能就是学界泰斗……啊，这就是哈佛的魔力。

你可能会说，我对哈佛的感觉越来越好。是的，尤其是我碰到另一个朋友之后。他叫麦克斯，来自阿拉斯加，是一个特别好玩的嬉皮士。他非常真诚——有一点激进——从来不做作、矫饰，和他相处，很快就让人如沐春风。

毕竟，哈佛并不算太坏嘛。我想，我开始理解哈佛选择学生那种高深莫测的方式了。当然，我遇到了很多不同类的人，甚至包括我根本不喜欢的。但是他们都不愚钝，都是才气横溢。嗯，这正是哈佛所要寻找的吗？

那天晚上，我去看望麻省理工的朋友艾米。这可真是糟糕，因为雨下得像地狱一样，我的伞被风吹得忽上忽下。我狂奔到一家高级酒店里，好等她的朋友来接我的时候，鞋子从里到外都湿透了。

一眼看到麻省理工，我好高兴自己在哈佛啊。麻省理工的人听了这话肯定想杀了我，但是，容我吐句实话，这里的建筑那么现代，四四方方，一点品味也没有！看起来紧凑、笨拙，没有哈佛那种岁月沉淀后的雅致。除此之外，宿舍小得可怕，属于混凝土结构，真的非常非常丑陋。

当然，我没敢告诉艾米这些看法，只是乖乖地听她和她的同学慷慨激昂地控诉，说哈佛如何如何（哈佛学生太不可一世，哈佛太排外，等等），吹捧麻省理工（什么"Kate，你

一定要来约会麻省理工的男生，因为他们太棒了"，等等）。说到底，你怎么可能指望一个麻省理工的人喜欢哈佛呢？

完全被波士顿的天气败坏了兴致，回到哈佛后，我径直走向西部准新生聚会。

oh，天哪，有这么多亚裔！有一半是来自加州的华裔。很快，我进入了一个华裔圈子，我们笑话我们的父母，笑话他们不折不扣的中国式反应（给通讯录上的每一个人打电话，向他们炫耀说，孩子被哈——佛录取了）。坐在这里的感觉如此对路，对哈佛的不愉快也随之消散了。好奇怪啊，这些华裔学生能够主动说话，谈笑风生，但是奥林匹亚市的华裔孩子们可不是这样。

我和新朋友一起，向高年级宿舍 Mather 楼走去，那里在举行一个大 party。他们花了三千块钱买了个泡沫制造机，让泡沫铺满地上，这样人们就可以在白色云雾中跳舞。可是，一看见人山人海，看见 10 元的入场费，我马上像一只蝙蝠逃离了地狱。

我讨厌吵吵闹闹的 party，我讨厌花钱来震破自己的耳膜。离开这里是明智的，因为午夜时分，警察造访了这个人数超过规定的 party。这就是那年的某一个聚会。我猜，哈佛人都快陷在 party 里了，所以许多人都去麻省理工（在这一点上，艾米是对的）。

闲话不提，我忙着和温和的华裔朋友在大厅玩游戏机，一直玩到凌晨一点，错过了就寝时间。你说奇怪不奇怪，我仍然精神亢奋，充满了热情，快快乐乐地跟着另一个东道主凯瑟琳去她的宿舍，和新生、准新生聊天。一直聊到两点。我想，这是我在哈佛做的最了不起的事情——我遇到了一个女孩，并深信她会是我的知己。

她叫张乐，来自得克萨斯州的休斯敦。那天晚上，我们一见如故。我们有相同的家庭背景，相同的兴趣和理念。我告诉她，回到中国以后，我十分钟爱悠长的散步，仅仅是身处那里就令我快乐。她完全能够理解。我们热爱中国文化的方式表明了我们既是美国人，同时我们家族的根在中国。那是华裔美国人对中国文化独特的爱。在此之前，从来没有同龄人像她这样理解这种感情。

她不是那种傻里傻气、黏黏糊糊、令人作呕的女孩。她诚实、坦白。在我们相遇之前，她从来没有觉得进哈佛是多么了不起的经验。事实上，斯坦福也录取了她。但是，她父母是传统的华人，坚信哈佛才是她的惟一选择，只愿意付钱让她来访问哈佛校园。

我们都为能够认识对方而欣喜万分！两个人相约，要在剩余的参观时间都黏在一起。

第二天早晨，我们去参加亚裔美国人集会。简直是到了亚裔天堂，亚裔、亚裔、还是亚裔！和蔼的人们、健谈的人们、乐善好助的人们！我立刻登记参加了每一个亚裔社团，最后，和一个非常友善的大二的华裔男生侃上了大学生活。和他的谈话使哈佛印象更真实，更清晰可见。他保证说，这里的每一个人都愿意帮助别人，并不都是事不关己，高高挂起。

我和张乐结识了另一个华裔女孩——易安，她来自加州。我们结伴同行，又去逛街了。这一次，天气晴朗，像星期五一样，太阳照耀着每一个角落，春天在树梢上闪烁、跳跃。哈佛，看起来如此美好。我快乐极了。我想来哈佛。别笑话我啊，一点点小事就让天地完全不同——找到志同道合的朋友，好天气。纯属琐碎的细节。甚至和张乐一起买到合适的舞会高跟鞋也让我内心激情飞扬。

下午，我们赶去参加在理科楼（相当难看）举办的大型

活动，我踊跃参加每一项活动。我买了一件哈佛民主党的 T 恤，上面大书"共和党的到耶鲁去"（这是影射乔治·布什是耶鲁本科生），流着口水看交际舞表演（真让人叹为观止）。

谁说哈佛都是书呆子——大错特错，这里什么都有！一份影响甚众的报纸，各种各样的社团（甚至有同性恋协会）、舞蹈比赛（听听，我亲爱的高中拉拉队员们！）和宗教组织，应有尽有，你一定可以找到自己喜欢的一种。随后，在少数族裔接待会上，我遇到一个欢快的南亚裔男孩费萨，我们一起吃晚饭，为自己高中的愚蠢互倒苦水。

啊，对了，吃的。OK，我第一次看到 Annenberg Hall——新生餐厅的时候，不由得目瞪口呆。彩色玻璃、哥特氏的建筑、油画、昂贵的古灯，对新生来说，好得太过分了！（高年级学生住在综合楼里，有自己的食堂。）

初看上去，食物非常好。无穷尽的沙拉柜台，绿色食品，以及多种主菜。可是，数量并不总是代表质量。到了第二天，我就极度厌倦了这些食物，大多数时间都靠 10 种麦片和大沙拉柜台过活。

hey，我可没有抱怨啊，想吃的也已经吃遍了。可是，实在没办法和心爱的妈妈牌川菜相比。没有厨房，新生宿舍里禁止烹饪用具，真是令人悲痛。同时，我深切体会到，如果长时间没有中国菜，我可怎么活啊！难道饿死不成吗？

那天晚上，我和易安、费萨，两个加州朋友去亚当斯宿舍，参加亚裔聚会（张乐跟一个麻省理工的朋友吃饭去了）。天哪，请允许我形容一下这个天堂之地：擦得锃亮的铜色墙壁，铸铁制的楼梯和墙上的烛台，花纹复杂而精美的屋顶，厚重的亚麻窗帘，大理石壁炉，烤瓷地板，天鹅绒幔帐，金边织锦装饰的家具。

我和费萨开玩笑说，这就是为什么我们每年要付 4 万美元——就为了这些传统和上流社会的豪华住宿。说真的，这真是一座宫殿！让我更加死心塌地恋上了哈佛。我才不管其他什么，只要我能住在这些漂亮的房子里、呼吸在这屋檐下，我就高兴死了。这样的历史、这样的传统、这样的美丽充盈着我的心。没有什么能买来这些，哪怕是昂贵的学费……

美事接踵而来。接下来的一天真是上天赐予的礼物。气温在华氏 70°以上，阳光普照，万里无云。我无忧无虑地把接受哈佛的决定和宿舍申请送到招生办（这样可以节省邮票钱啊），然后蹦蹦跳跳着去参观课堂。现在，我彻底觉得是回到了家，一个哈佛的家。这里已经是我的家园，我的大学，一切都属于我！除此之外，我不会去任何地方。

课堂令我敬畏——完全符合我的想像。激情澎湃、心无旁骛的教授，在六个可以按钮升降的巨大黑板上龙飞凤舞。即使这家伙真是一个助教，我也认可了，因为我感觉到他对数学的热爱和洋溢的激情，这是我在高中从来没有遇到过的。

真正抓住我的是心理学讲座。那位教授在我的心理学课本上出现过，他轻松有趣，学识渊博，心胸开阔。即使教室里有 50 ~ 100 人，他也有能耐让每一分钟都亲密无间，好像教室里只坐着 10 个人。我必须要提前离开了，但是我的心情非常平静。我明白，在哈佛，我不会像在高中一样，对老师大失所望。

好遗憾啊，在路上，我和张乐失散了。她的手机不见了，所以无法联系。我只好抓住惟一一个从华盛顿州来的男生，跟着他的表哥去机场。oh，真是见了鬼！天气炎热，地铁里肮脏而又喧闹，我有 50 磅的行李要搬上搬下。正是交通高峰时期，一路塞车，我提心吊胆了一路，生怕会被抢劫。

　　还好，我活着到了机场，在登机口前扑通坐下，然后，在离去前整理一下心情。我还没有开始想念哈佛，虽然我知道，一旦再次回到奥林匹亚，想念就会油然而生。我仔细回想这个匆忙的周末、新结识的朋友，我所看到的一切。我为自己原先的天真无知而惊讶。生活在像奥林匹亚这样的小城，是多么孤陋寡闻啊！在这里——波士顿，我必须独立自主，自己照顾自己，不依赖父母而独自做出决定。有点吓人，是吧？但是我喜欢。

　　就像一只久困于密不透风的茧中的幼蝶，我渴望飞向自由。

　　最后，我恍然大悟，为什么哈佛选择了这些新生。哈佛不拘于特定的人群，因为差异和多样性比财富、**GPA**、**SAT**成绩和家庭裙带关系重要得多。有这些资本的人到处都是，但是，我在哈佛认识的朋友们，他们聪明、乐观、充满了青春活力，热情、追求理想和有足以成功的能量。他们不是爱因斯坦，不是斯蒂芬·霍金，他们只是普通的少年，志向远大，想在有生之年有所作为。他们用生命中的每一步组成了色彩斑斓、冲劲十足的人群。哈佛正是以此闻名。

　　因此我相信，哈佛可以保持世界一流大学中的不败地位——因为学生的百花齐放和独特的品质。

　　因此，我爱哈佛；因此，分离的悲伤如此困扰着我。航班一架一架地载走了朋友，只剩我孤身一人——但这只是小别。等到秋天来临，等到那时，我会再见到你，哈佛，还有我的朋友们。

　　回家后的消沉真的发生了。小城奥林匹亚的闭塞快要把我闷死了。这里如此安静单调，波澜不惊。相比之下，我的家乡是一颗静止的沙粒，而波士顿是一大块鲜活的有机体。我想念波士顿，我想念张乐，我想念哈佛，我想念那里所有的东西。我想哭。

第二天，我郁郁寡欢，和朋友变得陌生。是我不好，但我不由自主。不止是我这样——张乐发来 E-mail，她和我经历了同样的感受，除了一点——她真的哭了。张乐告诉我，她决定去哈佛，而不是去斯坦福，做出这个决定很大程度上要感谢我。我又快乐起来了，我们又找到了彼此。我可以在相对的平静中等待秋天的来临，因为我有她这个朋友，有其他令我期待的东西。

公平一些，我可以善始善终，使高中生活有一个完美的结局。说真的，虽然对高中抱怨多多，但这一年中，我明白，没有它，我就不可能到哈佛。是的，我有冷淡无趣、怪里怪气的老师、做厌了的家庭作业，但是，我经受的所有这些，使我形成了现在的性格。我可不是说想再过一遍高中啊，但是，我非常感谢奥林匹亚高中给了我所有的东西。在我个性形成的时期，它塑造了我，帮助我达到目标——进入了一所理想的大学。

如此，高中生活即将落幕，结局又是什么呢？是的，我要去哈佛了。是的，我很高兴结局是这样。是的，我还渴望着能离开高中。是的，对新生活，我有点忐忑不安。

但是，结局不是要点。要点在于，经历过所有这些悲喜，我发现了自己，这比其他一切更重要。我发现了自己性格中从来不为我知的部分，无论好坏。我艰难跋涉过了种种障碍，陈腐的看法，错误的信息，主观判断，伤心，失望，足以哭倒长城的眼泪，以及最终的欢笑，和得偿所愿的成就感。重要的是过程，而不是结果。不是我最后到了哈佛，不是那回事儿，是我于此过程学到了什么、经历了什么才有意义。

我仍然相信，如果我只是被华盛顿大学录取，我也会因

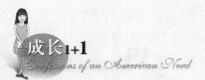
为这个过程而收获巨大，因为我尝试、经历了丰富的生活。我无怨无悔。一切都注定会发生，它塑造我，把我带到这里，写下这些话。如果哈佛没有拥抱我，我会选择威斯理，那也是我心仪的所在。

真的，必须让你的直觉和内心参与你的决定。大脑懂得分析，懂得思考，但是不会感觉。是你的心脏，输出无尽的血液，激情就在其中涌动。不要忽视了内心，去过一种乏味的生活。做你觉得正确的事情，即使最开始只是孤身一人也无所畏惧。只要诚实地面对自己，快乐终归会到达你的内心，就像甘甜的花蕊终会唤来远方的蜜蜂。

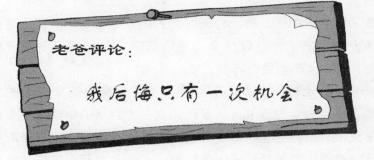

老爸评论：

我后悔只有一次机会

上大学是双向选择：学生选择要申请的大学，大学要录取学生，被录取的学生最后要决定去哪一所大学。5 月 1 日是高中生必须决定大学的期限。毫不奇怪，许多优秀的高中生手里都攥着一把录取书。譬如被哈佛录取的人也可能被耶鲁或斯坦福录取。2001 年，被哈佛录取的新生只有 79% 到哈佛注册报到，普林斯顿是 68%，耶鲁是 61%，斯坦福是 56%，麻省理工是 55%。没有学校是受到新生 100% 热爱的。

Kate 最后锁定的目标是哈佛和威斯理。达特茅斯给她打电话，愿意负担机票费，如果她能在访问哈佛时顺道去达特茅斯一天的话。这样，Kate 到波士顿的 400 元机票就有了报销。我们讨论了一下，既然不想去达特茅斯，再白花它的钱就有点内疚，所以不去。

4 月 25 日，她飞去了波士顿，对哈佛和威斯理校园进行为期三天的访问。从西雅图直飞波士顿是五个小时，回程六个小时，从太平洋飞到大西洋。去波士顿前，我送 Kate 去参加华盛顿州西部地区的哈佛新生的聚会。在去的路上，Kate 说她担心遇到的都是豪门子弟。

成长1+1

Confessions of an American Nerd

　　我给她打气：那样你更应该骄傲，如果不是比有钱人家的子弟更努力、更聪明，你怎么能打进哈佛呢？这个社会尊重马背上的牛仔，自己打天下的人。当然，她在聚会上高兴地发现：新生们多是出身于普通家庭，家里既没有哈佛校友，老爸也不是腰缠万贯之辈。

　　在哈佛访问时，Kate 特别拜访了负责西海岸招生的官员，这位先生告诉 Kate：是他把西海岸合格的申请人首先挑出来，写出报告给录取委员会，并且参加答辩，回答录取委员会对他所推荐的候选人的置疑，最后是委员会投票决定录取的。

　　Kate 到达波士顿后，第二天马上拜访了威斯理，高中校友凯接待了她。我打电话过去，她说威斯理太美丽了。我就有点担心哈佛了。

　　威斯理一直是 Kate 的梦想。而我，老实讲不喜欢她去威斯理。在我看来，威斯理太女权主义，太自由化(liberal)。我可不希望自己的女儿偏离主流思潮太远，那样会徒增烦恼。女孩子嘛，平平安安就是福。我希望她将来做一个好太太、好妈妈。我知道自己的想法有点老套落伍，不值一驳。我也知道，Kate 不会按我的想法去生活，她会活得跟前辈女性非常的不同。

　　随着访问展开，哈佛迷住了 Kate，最后是新朋友张乐的友谊帮助 Kate 下了最后的决心。张乐是中国留学生的第二代，跟 Kate 有太多的相同背景，包括同样热爱哈佛甚于他校的中国父母。Kate 甚至想让我在给哈佛的信中协助她跟张乐住在一套公寓。

　　Kate 选择了哈佛。其实哈佛也有点自由主义。美国的大学是自由思想的温床，好学校自命不凡，更加标新立异。我不知道她的大学选择是否正确，也许四年后 Kate 比现在更清

楚，哈佛是否适合于她。我是乐观主义者，为今天和想像的
将来庆祝。

　　当然，我也有一丝伤感。终于，Kate 要远离父母，一心
奔向自己的世界了。从此，她会闯荡南北，不再是依偎在父
母身边的小女孩。她走出了这个西海岸的小城，今后可能生
活在世界上任何地方，就是不太可能回到这个默默无闻的小
城了，留给爸爸妈妈的是她成长时的照片，还有终生不断的
牵挂。

　　Kate 上大学，我为她申请了一张信用卡，让她建立自己
的信用；为她开了一个股票账户，希望她学会理财；我会把
她成长中的照片做成一个影集送她，让她记住和爸爸妈妈在
一起的日子；我还会送她一个手机，叫她无处藏身，随时抓
住她。

　　能抓住她吗？抓不住的，她是一个追求自由天地的人。
在她写给华盛顿大学的拒绝信里说："没有任何东西能够把
我留在华盛顿州。"她说："我渴望飞向自由。"是的，没
有任何力量能够挡住 Kate 的自由飞翔，困难和父母的眷爱都
不行。电影《肖申克的救赎》(The Shawshank Redemption) 里
有句话："有一种鸟儿是永远关不住的，它的每一片羽毛都
沾满了自由的光辉。"（Some birds aren't meant to be caged
because their features are too bright.）

　　做父母是一份荣幸。我享受了 Kate 天真的童年，还有美
丽的大学之战。这是一杯需要终身回味的咖啡。从 Kate 出生
之日起，我们就在准备她走出家庭的这一天。这天以后，我
们会用一生的目光欣赏她的飞翔。她可以飞出家庭，飞到天
涯海角，但孩子永远飞不出父母无穷的深爱。

　　我把历年来 Kate 送我的父亲节卡和生日卡保存起来，偶
尔翻出来看看。有一张打开，里面粘了一点口袋残渣，卡上

写着："在你生日的时候，我找呀找，在口袋里找到这么一点东西给你……"来自女儿的任何东西都是一份感动。

还有一张生日卡，封面是一张咆哮的狮子大嘴，卡上写着："爸爸，你的外表严厉，内心温柔。"对女儿我真是婆婆妈妈，每次她单独外出，我就心神不定。有一次她去医院做义工，晚上下着大雨，我在家里坐不住，开车到了医院。Kate 下班看见我在候诊室，说："爸爸你怎么在这里？"我不好意思地说："只是很担心你。"然后在雨幕中，我们一前一后开车回家。

妈妈送给 Kate 一个心形的木牌，上面写着："我的女儿，世上没有一个名词能像'女儿'那样让我心洋溢真爱、充满骄傲，只有女儿让我的梦想成真。世上没有任何女儿能比你更奇妙——我的女儿。"

我被周围的华裔家长笑评为 liberal，意思是我对女儿太放任。其实我管，只是我不管细的东西，如家庭作业。我会给女儿讲一些做人做事的道理。我愿意尊重她的选择，她的想法，而不想包办一切。我当然对女儿有希望，但我不能强迫她按照我的想法生活。

我真地不鼓励所有的孩子都瞄准同一个目标——上最好的大学。虽然，让孩子进好大学是父母不该被指责的愿望，追求教育质量毕竟是人间正道。但是，上名牌大学不是下一代必须要走的独木桥，世界需要各种人才。最主要的是，每个孩子都是独一无二的人物，对幸福的感受不同于他人，因此幸福的道路也不是惟一的。Kate 自己也说："如果其他孩子都像我一样，这个世界就太乏味了。"

父母是孩子的第一老师，孩子是父母的一面镜子，我在 Kate 的举止上看到了我的缺点。无论我多么努力，我也没法为社会送上一个完美的孩子。但我相信，社会能够改变

Kate，更胜于父母的苦口婆心。生活铺在 Kate 的前面，悟性就在脚下。

　　尘埃落定，不知道 Kate 怎样评价父母。我记起了她说过的话"父母应该友好、理解、温柔、导师加朋友，也要哺育；希望孩子最好但要了解孩子的极限，鼓励孩子挑战自己。孩童时代只有一次，我们期待和父母共同经历这一美好时光。做父母不困难，难的是抓住机会成为伟大的父母。你准备好努力去做了吗？"

　　身为父亲，我后悔只有一次机会伴随 Kate 走过她的每一步成长。我羡慕那些将要做父母或有着未成年孩子的父母们，你们还有机会成为孩子心目中的伟大父母。希望 Kate 和我的经历能够让你们更加珍惜这一机会。我为你们祝福，为孩子们祝福。孩子们实在值得活得比我们更好。

教育体验系列(已出版)图书简介

《体验哈佛》

电子工业出版社，2003.1

ISBN 7 – 5053 – 8356 – 6

定价: 25.00 元

  本书为哈佛商学院十位华人 MBA 毕业生的真情告白。他们在书中坦述自己的成长经历、学习体验和人生理想，这些都是值得正在奋斗的青少年们借鉴的宝贵经验。他们今天所取得的成功更证明了这一点。

《青春禁忌游戏》

电子工业出版社，2003.3

ISBN 7 – 5053 – 8561 – 5

定价: 19.00 元

  本书讲述 4 位俄罗斯高中生以给数学老师过生日为由，到老师家使出种种手段想得到存放数学试卷的保险柜的钥匙。一场残酷的青春游戏在这里上演了……

我们把这些漂洋过海的文字请到了你的面前，希望你阅读的不仅是成长的过程，更是对成长的思考！为了促使我们更多更好地为你服务，请把你的感受和问题告诉我们。

请将下表填妥寄回：

1. 亲爱的读者朋友,读完这本书后你的感受如何?
   _____
   _____

2. 你最希望和谁一起分享这些故事?
   □自己的孩子　　□自己的父母
   □好朋友　　　　□其他_____

3. "小鬼子"王可向您吐露了心声,你想对王可和她的父亲说点什么?
   _____
   _____

4. 你作为家长/孩子,希望对自己的孩子/家长说些什么?
   _____
   _____

5. 你认为这本书更适合谁阅读:
   □学生　　　　□教师
   □家长　　　　□每个人

6. 你是怎样获得这本书的:
   □ 朋友赠送　　□ 书店　　□ 网上书店
   □ 书亭(摊)　　□ 其他_____

成长 1+1

读者调查表

7. 你对这本书的总体评价：

☐很好　　　　☐不错

☐一般　　　　☐不怎么样

原因是：_____

_____

8. 你希望看到这本书的续篇吗？

☐是　　　　☐否

☐无所谓　　　　☐没必要出续集啦

　　读完王可的故事，你是不是想到了自己？你的家里或周围是否也有愉快或不愉快的成长故事？你与父母（或子女）沟通是否顺畅？你希望你的父母（或子女）应该怎样做？……总之，把这些记录下来，寄给我们，我们打算选出精彩的故事集结成书，让更多的人参与到教育体验的大讨论中来。做子女只有一次，为人父母也只有一次。希望通过我们的书和活动，使更多家庭的教育过程成为父母和子女共同成长的愉快体验，愿 21 世纪的孩子成为身心健康、积极向上的新一代！

请写下你的简况，以便我们在有新书出版或有更多有趣的活动时通知你：

姓名 _____　性别 _____　出生年月

文化程度 _____　职业 _____

工作单位 _____

通讯地址 _____

邮编 _____　电话 _____

E – mail _____

联系我们：

北京读书人文化艺术有限公司

电话：(010)64465316/5317/5318

传真：(010)64465320

http : // www. readers. com. cn

E – mail : bjreader@ 163bj. com　　shijibo@ phei. com. cn

通讯地址：北京市朝阳区西坝河南路甲 1 号新天第 B 座 2701

邮编：100028

电子工业出版社·北京读书人文化艺术有限公司